# ミステリ=22

北村　薫、坂口安吾ほか

ひとつの真実にむかって書かれる推理小説から、なぜこれほどまでに多様な“読む”面白さが生まれるのか。北村薫、坂口安吾から中条省平、若島正まで――作家・評論家・翻訳家たちは、推理小説をいかに読み解いたか。短編小説から英米ミステリ史を辿る大著『短編ミステリの二百年』で第75回日本推理作家協会賞と第22回本格ミステリ大賞を受賞した編者によるアンソロジー。ミステリに関するエッセイ・解説・評論の数多あるなかから「明快であること」と「内容が充実していること」を念頭に名文を選りすぐった、ミステリ・ファン必携の一冊。

# ミステリ＝22

## 推理小説ベスト・エッセイ

北村　薫、坂口安吾ほか

小　森　　収　編

創元推理文庫

MYSTERY - 22

edited by

Osamu Komori

2000, 2024

# 目次

# ミステリ＝22

## 推理小説ベスト・エッセイ

ひとつだけが奥義(ミステリ)ではなかった……
それがミステリ＝22だった

# はしがき

この本は、二〇〇〇年七月に宝島社新書の一冊として出した『ミステリよりおもしろい ベスト・ミステリ論18』を、増補再編集したものです。これまでに書かれた、ミステリについての評論、解説やエッセイから、すぐれた作品を選んで、手軽な一冊にまとめることを目指しました。宝島社新書版には、題名のとおり、十三人の筆者による十八の文章が収録されていました。ただし、主に当時の宝島社新書のページ数の制約から、収録を見送ったものがあったので、今回はそれらを含めて増補し、また、丸谷才一氏の文章に関しては、別のものに差し替えました。

まず、今回増補したものについて、説明しておきます。

笠井潔氏の「善人と怪物　北村薫『盤上の敵』」は、当時連載が始まったばかりの、その第二回の収録をお願いしました。笠井氏からは了解を得られたものの、雑誌の版元から、連載終了後に単行本化を考えているので、それまでは他の書籍への収録は控えてほしいという要請がありました。もっともな理由なので、収録を辞退しました。その後、書籍化された折りに、第一回目の後半、東野圭吾（ひがしのけいご）『白夜行』に詳しく触れた部分と併せて、第一章となっていて、改めて、その章を収めることにしました。

井家上隆幸氏の「イラン、イスラム革命後十年　船戸与一『砂のクロニクル』」は、ミステリマガジンの長期連載を二〇〇〇年六月にまとめた『20世紀冒険小説読本〔日本篇〕』の中の一編です。同書は翌年日本推理作家協会賞を射止めますが、なにしろ、一か月前に単行本化されたばかりです。連載時から注目していたものとはいえ、書籍の企画としてはほぼ同時進行でしたので、収録を見送りました。宝島社新書版に、同時代の日本のミステリに言及したものがなかったのは、このふたつの欠落のためでした。

森下祐行氏の「「本格ミステリ冬の時代」はあったのか?」は、宝島社新書版刊行後に書かれたものです。同氏運営のウェブサイト「ミスダス」上に公開されていました。ところが、このたび、収録をお願いしようと確認したところ、いつの間にか、同サイト上から、この文章が消えていて、改めて、収録許可を得るとともに、私が最後に確認したのちに付けられた補遺と併せて、テキストの提供を受けました。

宝島社新書版では、丸谷才一氏の「冒険小説について」を収めていました。この文章自体すぐれたものですが、同時に、当時は比較的入手が難しかった『深夜の散歩』を代表させるつもりで選びました。しかし、その後『深夜の散歩』は創元推理文庫に決定版と思われるものが入りました。また、二〇〇三年五月にカタログハウスから、佐藤忠男・岸川真編著『「映画評論」の時代』という、佐藤忠男のロングインタビューと映画評論に掲載された文章のアンソロジーから成る一冊が出て、そこに入っていたのが、丸谷才一の「なぜ戦争映画を見ないか」でした。

同氏には、「社会派とは何か」という短かいながらも重要な文章がありますが、こちらも一九八〇年に権田萬治(ごんだまんじ)編『趣味としての殺人』に収録されたきりで、簡単に読めるものではありません。しかも、このふたつを組み合わせることで、松本清張(まつもとせいちょう)の登場をきっかけに、日本を席捲した社会派とは何だったのか？　その実態はある種誤解されたままに、やりすごされて来たのではないかという、社会派への再確認を迫るもののように思います。そこで、今回、この二編に収録作を差し替えました。

底本は各編にそれぞれ示しましたが、宝島社新書版収録ののちに新たに活字になることがなく、新書版編集時に著者の手が入っていた石上三登志、小鷹信光両氏の文章については、宝島社新書版を底本としました。また、法月綸太郎、池上冬樹、笠井潔、若島正の各氏の文章については、今回の収録にあたって、著者の手が入っています。

宝島社新書版刊行から二十年以上が経過しました。その間、すでに物故者だった坂口安吾、瀬戸川猛資の二氏に加え、都筑道夫、北上次郎、石上三登志、小鷹信光、丸谷才一、井家上隆幸の六氏が亡くなっています。哀悼の意とこのように素晴らしい文章を残してくれたことへの敬意を込めて、謝意を表します。無論、ご存命の筆者の皆様にも、それに変らぬ感謝の気持ちを表し、さらなる活躍をお祈りしています。そして、これからも、ミステリに関する素晴らしい文章が次々に書かれることを願っています。

小森　収

# 解釈について

北村　薫

## 北村薫（きたむら・かおる、1949―）

大学時代はワセダ・ミステリ・クラブに所属し、卒業後、教職のかたわら、評論や解説、そして東京創元社「日本探偵小説全集」の編集を行っていた。『空飛ぶ馬』に始まる春桜亭円紫シリーズで、一九八九年作家としてデビューしたが、その後も評論やアンソロジーの編纂にと精力的に活動している。その成果は、本編を採った『謎物語』のほか、『ミステリは万華鏡』や一連の『謎のギャラリー』、宮部みゆきとの共編「名短篇」シリーズなどに結実している。ちなみに本書に収録した中条省平氏の文章の存在は、『ミステリは万華鏡』から教わったものである。

初出＝『謎物語　あるいは物語の謎』中央公論社一九九六年／底本＝『謎物語　あるいは物語の謎』創元推理文庫二〇一九年

綾辻行人『霧越邸殺人事件』『時計館の殺人』の内容に触れているところがあります。未読の方はご注意ください。

## 1

最近楽しくなってしまった文章をご紹介しよう。うちの下の娘（当時小学三年）のクラスでは、毎週、担任の守先生手作りの学級通信『果汁１００％』が配られる。わたしも愛読者である。

そこに、こんな記事が載った。

3の2小話
ほんとにあった、ウソのような話…

〈瞳をこらして〉
先生・「瞳をこらすという言葉がありますが、この言葉の意味がわかる人いますか?」
Aくん・「はい‼ 目を大きくあけることです」
先生・「ほォ、なるほど…他には? はい、Bくん‼」
Bくん・「はいっっ‼ 口のまわりにタオルとかを当てて息ができないようにすることです‼」(自信たっぷり)
Cくん・「そりゃ、ヒトをコロスだろ…」
(ぶっそうですみません でもこんな答えを奨励している訳ではありませんから、ご安心を)

〈目まぐるしく動く〉
先生・「目まぐるしいって、どんな意味?」
Aくん・「はい‼ 色々なものがあちこちに通り過ぎ、目がまわること」
先生・「いいね、いいね。…あっ、Bくん、手をあげてるね、どうぞ」
Bくん・「はいっっ‼ サーカスとかで、トラとかが輪をくぐること…」
Cくん・「そりゃ、火の輪くぐりだろ」
一同爆笑、先生涙…

ちなみに、このB君は同一人物で、つっこみを入れるC君も同じ子です。B君はまじめな顔して平気ですっとぼけてしまう、まさに天然ボケの少年でクラスの人気者。愉快で元気があり、傍にいるだけで楽しくなる子です。誰だかは…お子さんに聞いて下さい。

B君の頭の回転は素晴らしい。いや、回転というより閃くのである。授業がそう流れてくることなど予想できない。咄嗟にそう出るのである。そして、さらに凄いのはC君の存在だ。B君がしゃべっただけでは、それこそただの無意味なうわ言である。その意図を読み取り、瞬時につっこんでみせなければならない。それが彼の役どころなのだ。

〈目まぐるしい〉の方は、ちょっと凝り過ぎの感がある。しかし、前者のやり取りは絶妙。《口のまわりにタオルとかを当ててー》と出たことによって生じる不可解さ、奇妙な緊張。それを鮮やかに解決するC君。《そりゃ、ヒトをコロスだろ》

まさに黄金のバッテリーである。どちらが欠けても、この芸はできない。

そこで思ったのだが、これは《本格推理》の行き方ではないか。話の流れの中で、摩訶不思議な謎を作る者と、それを解く者の絶妙の連繋プレーが要求される。

神のごとき名探偵というのは、紙の上だけの話、現実感のないものと思いがちだ。しかし、C君の才知の閃きを前にすると、あり得ないことでもないのか、と思ってしまう。

## 2

さて、現代本格の代表選手の一人、綾辻行人さんと一緒に、氏の『霧越邸殺人事件』の舞台を観たことがある。

劇団は、かつて何と『虚無への供物』を舞台化し、話題となった「てぃんかーべる」。女性だけで構成され、その後も綾辻作品、また岡嶋二人（おかじまふたり）『そして扉が閉ざされた』などに取り組んでいる。

原作に忠実かつ要領のいい脚色で『霧越邸』の妙味がよく伝わってきた。

その後で、綾辻さんに『霧越邸殺人事件』の感想をお話しした。

この作には、計算された《あまり》がある。上の硝子（ガラス）が十文字に割れて、最後まで説明がつかないといったような、いわゆる本格の枠におさまらないところである。わたしは、そこを非常に面白く読んだ。

そして最後に、重要な登場人物が読者の目から隠されていたことが分かる。いうまでもなく従来の本格では、そういうことはタブーである。アンフェアとされる。

わたし自身が、いまだに忘れられない例をあげれば、ルブランの『虎の牙』。子供向けのルパン全集が小学校の図書館にあった。これを借りるのが無上の楽しみだった。

小学二年から役員をやることになっていた。図書委員になると図書館の本を借りられるという噂が流れ、真っ先にその役を希望したことを思い出す。ただし蓋をあけてみれば、二年生からは誰でも借りられるのだった。カウンター当番をしながら、だまされたような気がしたものだった。

さて、『虎の牙』だが、巻末に至ってそれまで一度たりとも姿を見せたことのない怪人物が現れ、それが——犯人なのだ。呆れてしまった。しかし、『霧越邸』の場合は膝を打ったのである。

母親は死に、子供が一人隠れていたというのだが、本格の世界で作者が《一人隠れていた》というなら、二人隠れていてもいい、三人でもいい。実は、実は、と続けられる。焼け死んだ筈の母親が《実はいました》といって出て来てもいい。解決は一つ引っ繰り返されたが、まだあってもいい。底は決して見えない。

というわけだから、この《一人隠れていた登場人物》という設定が、この『霧越邸』でなされるのは頷ける。本格推理は多くの場合、最後に《名探偵、皆を集めて、さてといい》という型で、総ての解決がつく。そういうパターンに対して、新しい地平を開くのだ。——そんな意味合いが、この登場人物に象徴的に表れている。

そう考えて非常に面白かったと申し上げたら、綾辻さんが、

「あ、そうですか。そういうことは全然考えてませんでした」

その前にお会いした時には『時計館の殺人』のことをお話しした。ものにはイメージというものがある。本格のイメージは《密室》、ハードボイルドのイメージは《失踪》だ、といういい方がある（失礼ながら、どなたの言葉だったか、忘れてしまったのだが）。まことにいい得て妙だと思う。大金持ちの令嬢が失踪するところから始まる、といえば何となくハードボイルドのような気がするし、密室で人が殺されていればいかにも本格のようだ。

ところで本格らしい本格の題材に、もう一つアリバイくずしというのがある。しかし、考えればこれも《時間の密室》といえる。となれば《時計》は本格の象徴的なものといえる。

さて、従来、アリバイくずしというジャンルが成り立ったのは、時間という絶対的な枠が世界にあったからだ。だからこそ、その中で幾つかの時計を狂わせていくようなことが可能であった。

ところが『時計館』においては、舞台となる世界そのものの《時》が狂っている。ということは、これはその前提からして、従来の本格ではないものを作って行くぞ、――という宣言とれる。ここで作者は《新・本格》宣言をしている。これを書いてしまった綾辻行人は、次に何を書くのだろう。

そう考えて非常に面白かったと申し上げたら、綾辻さんが、

「あ、そうですか。そういうことは全然考えてませんでした」

## 3

そういうことは当然あるわけなので、様々な解釈をなし得る作品、批評の方法が時代と共に変わっても常に受けてたち、その対象となり得る作品こそ懐が深いといえ古典といえるわけだ。などと述べた後に自分のことを書いてはまずいが、これはそういう意味ではなく、ちょっと面白い話として聞いてほしい。

実は今の綾辻さんの件は、関西ミステリ連合のゲストとしてご招待を受け、講演をした時にも話した。客席に綾辻さんがいらして、にこにこしていらした。

その後、関西のミステリ関係者とお茶を飲むことになったら、法月綸太郎さんが、

「北村さん、『空飛ぶ馬』の《円紫さんと私》の関係についてなんですが、あれには『Zの悲劇』以降のドルリー・レーンシリーズの影響がありませんか」

うーむ、と思った。ペーシェンス・サムとレーンか、なるほど。

「いやあ、そういうことは全然考えてませんでした」

法月さんは続けて、

「あの中の『砂糖合戦』を書かれた時には、『Xの悲劇』に出て来る《砂糖のダイイング・メッセージ》を意識されたのではありませんか」

うーむ。

「いやあ。そういうことは全然考えてませんでした」

こういうことがあったものだから、竹本健治(たけもとけんじ)氏の『ウロボロスの基礎論』を読んでいて、関ミス連に招かれた時の、次のような記述が強く印象に残った。

質問の最後は法月君の「『偽書』の「トリック芸者シリーズ」は山田風太郎の『妖異金瓶梅』の影響があったかどうか」だった。僕の答は「『妖異金瓶梅』は読んでません」でチョン。

4

しかし、読むという行為は受け身のものではなく、極めて能動的なものである。福武文庫の『黒澤明語る』（聞き手：原田眞人(はらだまさと)）を読んだ。原田氏の黒澤監督への迫り方に、わたしは深い共感を覚えた。『八月の狂詩曲』について、原田氏は次々と創意ある意見を述べる。《話したいことがいっぱいあってどこから質問していいかわからないのですけれども》という感動的な出だしで始まり、音楽ひとつにしても「野ばら」とヴィヴァルディが見事な調和で盛り上げる。音楽で言うなら僕には「ボレロ」も聞こえてきた。画面の流れが「ボレロ」なんです。それも早坂（文雄）さんが『羅生門』でやられた「ボレロ」。絵（画面）をつないでいるときとか、脚本をお書きになっているときに「ボレロ」を意識されましたか。

黒澤　いや、それは意識していなかったですね。

（中略）

なぜ早坂文雄さんの「ボレロ」が聞こえてきたのかなと、自分でもいろいろ考えてみました。『八月の狂詩曲』は入道雲のショットから始まっていますね。『羅生門』は入道雲で終わりたかったけれども終われなかった映画だということを、どこかで黒澤監督が書いておられて、それを読んで記憶にあるのですけれども、入道雲で始まって、タイトルが出て、四人の子供がおばあちゃんの田舎の家ですごす夏のドラマがあって、最後に『羅生門』の導入部のような土砂降りの雨になる。ちょうど『羅生門』と逆の形なんです。

黒澤　（笑いながら）まあ、そういう具合にこじつければね。

（中略）

ジャングルジムが早坂さんで、杉林のほうは落雷受けて心中したという、その台詞も含めて黒澤監督のお兄さんのような感じがして、その彼らに「もうすぐ行くから会おうよ」という感じがしたんですけれども。

黒澤　べつに全然意識していなかった。

（中略）

『八月の狂詩曲』は原作が『鍋の中』（村田喜代子）、『羅生門』の場合は『藪の中』（芥川龍之介）ということもあって、わりと人間関係のごたごたしているところとか、『羅生門』とつながっている部分というのはありません？

黒澤　ない。

茶化しているのではない。この本は発見の多い本だが、それを支えているのは、このような原田氏の創意だと思う。作品はそこにあっても、それを読むのは個々の読者なのである。名探偵は《あなた》なのだ。実りは読者の内にある。

また優れた新解釈を聞く時、私達は（時に作者自身も）その作品が、内に秘めていた魅力を知る。山田太一（やまだたいち）氏が『婦人公論』（一九九五年十一月号）に寄せた文章『うまい!!!』に、こう書いている。

おおたか静流さんが昔の唄をうたうと、え？　こういう唄だったの、と時には別の唄を聞く思いがする。一番新しいCD『リピート・パフォーマンスⅢ』の「上を向いて歩こう」もそうで、坂本九さんの仕事はそれはそれで面白いのだけれど、静流さんのはもう全然別の表現で、ああこんな悲しい唄だったのだと今まで明るい唄のような気がしていたのが不思議なくらいなのである。同じＣＤの「いとしのエリー」のなんと秘めやかなこと。

これは同時に、あの歌詞の曲を、明るいと感じさせた坂本九（さかもときゅう）に対する驚きともなり得る。小説の世界でいうなら、これが評論家の仕事である。

# 解釈について（続き）

北村　薫

初出＝銀座百点一九九四年三月号／底本＝『謎物語　あるいは物語の謎』創元推理文庫二〇一九年

1

ジャン＝ジャック・フィシュテルの『私家版』（東京創元社）という本の結末について、是とする評と非とする評が出た。わたしは前者なので、正反対の意見が出たことが面白かった。

この本を《北村さん向きですよ》と薦めてくれたのが新保博久（しんぽひろひさ）氏。忘年会で顔をあわせた時、結末についての御意見をうかがった。すると、思いがけない第三の説。

「あれは真ん中が面白い話だから、最後はどうでもいいのです」

そして、

「北村さんと、わたしではミステリの評価がまったく違いますね」

「ああ、なるほど。新保さんは『黒死館』も『虚無への供物』も認めませんものね」

と、わたしは応じ、その瞬間――これは新保さんへの年賀状にも書いたのだが――ふうっと、何ともいえない幸福感が湧き上がってきた。妙に思われるかもしれないが事実である。

その時の気持ちを言葉にすれば以下のようになる。

《様々な立場から見た名作がある。それだけミステリは幅が広いのだ。ミステリの名作もそれだけ多くあることになる。わたしが狭い窓から見ている何倍も。何と豊かなのだろう》

## 2

さて最終回。まず初めに、太宰治『トカトントン』の一節。昭和二十年八月十五日の玉音放送の後、《つかつかと壇上に駆けあがっ》た中尉がなお徹底抗戦、自決を叫ぶ。


そう言って、その若い中尉は壇から降りて眼鏡をはずし、歩きながらぽたぽた涙を落としました。厳粛とは、あのような感じを言うのでしょうか。私はつっ立ったまま、あたりがもやもやと暗くなり、どこからともなく、つめたい風が吹いて来て、そうして私のからだが自然に地の底へ沈んで行くように感じました。

死のうと思いました。死ぬのが本当だ、と思いました。前方の森がいやにひっそりして、漆黒に見えて、そのてっぺんから一むれの小鳥が一つまみの胡麻粒を空中に投げたように、音もなく飛び立ちました。

ああ、その時です。背後の兵舎のほうから、誰やら金槌で釘を打つ音が、幽かに、トカトントンと聞えました。それを聞いたとたんに、眼から鱗が落ちるとはあんな時の感じを言うのでしょうか、悲壮も厳粛も一瞬のうちに消え、私は憑きものから離れたように、きょろりとなり、なんともどうにも白々しい気持で、夏の真昼の砂原を眺め見渡し、私には如何なる感慨も、何も一つも有りませんでした。

## 3

雑誌の、本に関するコーナーを読んでいて、本当にびっくりしたことがある。有吉玉青(ありよしたまお)さんが、『フラウ』で三冊の本を推薦していた。その一つが谷崎(たにざき)の『途上』。有吉さんはいう。

ある事件を巡って、探偵とある男が話をしていくんです。男の妻が死んだ事件なのですが、探偵に誘導尋問をされて、男は自分の心の奥で妻の死を願っていたことを知ってしまうの。これも怖かった。デュラス(『モデラート・カンタービレ』を指す)も谷崎の小説も、最後に主人公はへなへなとくずおれるんです。自分の中のもう一人の自分に気づいたとき、人は対処のしようがない。その気持ちはわかりますよね。

談話であるから細かいニュアンスは伝わっていないかもしれない。だが、趣旨はこの通りと考えて、話を進めさせてもらう。

『途上』について、こういう解釈をした人は、まずいないだろう。少なくともミステリファンにはいない。

『途上』は、江戸川乱歩（えどがわらんぽ）のいうプロバビリティーの犯罪、即ち、あわよくば型殺人テーマの古典ということになっている。つまり、ここに描かれているのは、夫による《周到極まる計画犯罪》なのである。

妻が車に乗る時には事故があった場合危険な席に座らせ、チブスがはやれば菌のいそうなものを食べさせる、そういうことを数限りなく行うのである。

乱歩は随筆『プロバビリティーの犯罪』の中で『途上』に触れ、《私はこれを読んだとき、何が巧妙だといって、これほど巧妙な殺人はないだろうと感じ入り、その影響で「赤い部屋」という短編を書いた》といっている。

念のため、読み返し、何人かに電話で確認もした。やはりそうである。谷崎は、そのつもりで書いている。

しかし、誤解しないでいただきたい。わたしはここで、有吉さんが《間違っている》というのではない。だったら、こんな文章を書いたりはしない。逆である。有吉さんの読みも、また、そう解釈する感性も実に魅力的なのだ。感嘆しているのである。これは、読む、という行為が即ち創造であることの好例ではないだろうか。

作品は楽譜に当たるもので、それを演奏するのが読者である。読書は決して受け身の作業ではない。百人の読者がいれば、そこには百の作品が生まれる。名曲を弾くように、我々は名作を読む。そこにこそ読書の醍醐味（だいごみ）がある。

ただし、――ここが微妙なところなのだが――そう弾いては演奏にならない、という線がある。それは創造において、優れたものと、無価値なものが歴然としてある、ということに外ならない。

4

本を離れるが、こういう例をあげる。

学生時代に仲間と、『傷だらけの挽歌』という映画の試写会に行った。原作はJ・H・チェイスの『ミス・ブランディッシの蘭』。大金持ちの傲慢（ごうまん）な令嬢がギャングに誘拐される。救出された時には、彼女はぼろくずのようになっている。父親は、そんなになっても生きているのか、という冷たい言葉を浴びせ、娘に背を向ける。ラストシーン、川に身を投げた娘を見て、探偵は何ともいえない表情をし、その場を去ろうとする。驚いて、助けないのか、という声がかかる。彼は、一言いう――《アイ・キャント・スイム》。

実に苦く、また見事な台詞(せりふ)である。まさしく《出来ない》のである。

ところが、――今も鮮やかに覚えている――《泳げないんだ》という字幕が出た途端、胸を衝(つ)かれた我々の、二列ばかり後ろで吹き出した観客がいたのである。その人には素直におかしかったのだ。本当に《泳げない》と思ったのだ。

これは誤りである。誤りだからいけないのではない。いけないから誤りなのである。泳げる探偵が、その局面だからいったのでなければ、この台詞は無意味だ。考えてそこに行き着くのではなく、瞬時にそう感じなければいけない。

残酷なことだが、時として作品は人を拒む。(勿論(もちろん)、わたし自身が同様の立場に立たされることもあるわけだ。いや、多々あるといってよい。)

さて、その映画が、テレビの衛星放送で放映された。懐かしさと共に観ていたら、何と肝心なラストがカットされていた。

驚いて、試写会の時並んで観ていた友達に電話した。彼はいった。

「テレビでしょう。いつかやった時にも、観たやつが怒ってましたよ。時間の関係で切ったんでしょうねえ」

しかし、地上波のコマーシャル入り放送ではない。そんなことは考えにくい。ガイド雑誌で確認したら、《オリジナル百二十八分をそのまま放映》となっている。画面は結末の一歩手前、令嬢が車に乗ったところでストップモーション。そこに英字の配役が流れ、結びの音楽が入る。

局が切ったのではない。これは別バージョンなのだ。

どうしてそんなことになったのか。もしも《分かりにくいから》という理由もあって――救いがないから、ということだけでなく――直されたのなら、作品にとって不幸というしかない。何でも分かりやすくなったら、全ての暗示は消え、主張ばかりとなる。

恋人の目をじっと見つめただけでは許してもらえず、《ぼくはきみを……》とまで言葉を添えても、《何なのよ、はっきりして》とじれて問い詰められる。そんな世の中になってしまう。

5

解釈の冒険を許さない作品は、実につまらないものだろう。

演劇なら、その冒険が演出ということになる。松岡和子（まつおかかずこ）さんの『すべての季節のシェイクスピア』（筑摩書房）には、トレヴァー・ナンによる一九八九年の『オセロー』が紹介されている。この話は、まさに目から鱗である。

その舞台には《少女といっていいくらい》に若いデスデモーナが現れたという。松岡さんは《「わあ、ほとんどロリータじゃない！」》と思い、《新鮮だった》という。《考えてみれば》《イアーゴーもオセローとデスデモーナの歳が釣り合わないことを強調している。一方デスデモーナが「若い」ということは、様々な人物の口を通して繰り返し語られるのだ》。

デスデモーナの生への傾き、「生きたい」という希求には目をみはるものがある。全身で生に向うその姿勢といい、父親に内緒で結婚してしまう大胆さといい、彼女と『ロミオとジュリエット』のヒロインには共通する要素がきわめて多い。ジュリエットは十四歳。デスデモーナは、彼女とほんの二、三歳しか年の違わない「姉」――トレヴァー・ナン演出の『オセロー』は、そう解釈できる可能性を教えてくれた。

ナンに、そして松岡さんに導かれ、《そうか！》という驚きと霧が晴れたような爽快さを感じた。解釈のスリルを感じたのである。

さらに松岡さんによれば、サミュエル・ライター編集になる『地球をめぐるシェイクスピア』という本があるそうだ。戦後、舞台化された優れたシェイクスピア劇五百二本の上演記録である。演出や舞台装置について記されているという。

勿論、古今東西、無数の創意に満ちたシェイクスピアの舞台があったことだろう。ライターの本には、そのうち少なくとも（！）五百二本の《創造》が集められている。イメージしただけで、胸が躍るではないか。ここに《人間》の働きがある、という気になるではないか。

## 6

小説においては、読者が演出家であり役者である。いい台本を貰っても、いい舞台が作れるとは限らない。それではつまらない。口惜しいから、読者も成長するのである。その読者の内のプロこそが評論家ということになるだろう。評論家には、プロであるなら記憶に残るような面白い演出を見せてほしいと思ってしまう。

たとえば、太宰の『トカトントン』を読んで、何も見えない人に向かい、《トカトントンはハラホロヒレである》といってしまうのが評論家ではないか。そのおかげで何かが見え、《ああ、そうか》という人が出て来る。すると、別の評論家が《いや、あれは断じてハラホロヒレではない。ガチョーンである》と演出するのである。

そこで、まことに不敬ではあるが、《トカトントン》を《ハラホロヒレ》に差し替えれば、こういうことになる。

もう、この頃では、あのハラホロヒレが、いよいよ頻繁に聞え、新聞をひろげて、新憲法を一条一条熟読しようとすると、ハラホロヒレ、局の人事に就いて伯父から相談を掛けられ、名案がふっと胸に浮んでも、ハラホロヒレ、（中略）もう気が狂ってしまっているのではなかろうかと思って、これもハラホロヒレ、自殺を考え、ハラホロヒレ。

無論、トカトントンはトカトントントン。ハラホロヒレでも、ガチョーンでもありませんがね。

# 推理小説について

坂口安吾

坂口安吾（さかぐち・あんご、1906―55）

『堕落論』『白痴』など数多くの小説や評論で著名な、敗戦直後の日本を代表する作家。同時に筋金入りの探偵小説ファンとして知られ、実作でも『不連続殺人事件』『明治開化安吾捕物帖』など、もはや余技と呼ぶことはできないほどの質量の作品を残している。同時代の横溝正史を「作家としての力量は世界のベストテンに楽にはいりうる」（「推理小説論」）と評価した坂口安吾の、才能を評価する眼とそれを明言する勇気は、批評家に必要な資質のなんたるかを如何なく示している。

初出＝東京新聞一九四七年八月二五日付・二六日付／底本＝坂口安吾全集05筑摩書房一九九八年

探偵小説の愛好者としての立場から、終戦後の二、三の推理小説について感想を述べてみよう。

横溝正史(よこみぞせいし)氏の「蝶々殺人事件」は終戦後のみならず、日本における推理小説では最も本格的な秀作で、大阪の犯行を東京の犯行と思わせるトリック、そのトリックを不自然でなく成立せしめる被害者のエキセントリックな性格の創造まことによく構成されておって、このトリックの点では世界的名作と比肩して劣らぬ構成力を示している。

然し、敢てこの名作から三つの欠点をとりだして、一アマチュアの立場から、探偵小説全般の欠点について、不満と希望をのべてみたいと思う。

★

第一に、なぞのために人間性を不当にゆがめている、ということ。

犯人が奪った宝石をトロンボンのチューヴの中に隠しておいて、それを取りだすところを雨宮に見られたのでトッサに殺す。この死体を縄でよじりあげて五階の窓の外につるし、縄のよじれがもどって死体が外れて墜落するまでの時間に、階下へ下りて人々のたまりに顔をだしてアリバイをつくる。

隠した宝石をとりだすだけでも人に見つかる、それほどの危い綱渡りの中で、トッサにこんな手のこんだトリックをする、これが先ず人間性という点から不当なことで、死体を残して慌てて逃げだすのが当然である。

★

第一、これだけ苦心してアリバイをつくっても、五階から落ちた死体が落ちた瞬間に目撃者がなければ、苦心のアリバイもアリバイにならない。そして、すぐ目撃者がある程度に人目のあるところから死体を縄によじって窓の外につるすという緩慢複雑な動作が人目に隠れて行えるものではない。もしまたその仕掛が人にさとられずに行えるほど無人のところなら死体が落ちてもすぐには発見されず、ほど経て発見された際には苦心のアリバイも役に立たず、五階の窓の外に仕掛けた縄を改めて取りこむだけ余計な危険にさらされているに過ぎないのである。

要するに人間性という点からありうべからざるアリバイで、かかる無理の根柢として謎が組み立てられている限り、謎ときゲームとして読者の方が謎ときに失敗するのは当然なのである。

★

角田喜久雄（つのだきくお）氏の「高木家の惨劇」では、吾郎という青年が自分でも何のためにアリバイをつくらねばならぬか知らないほどの漠然たる不安に、殺人犯人でもやらないような芝居がかったアリバイのつくり方、全然人間性というものを無視している。一方、吾郎にこうして三時のアリバイをつくらせる友子が、三時の銃声に吾郎の犯行と思ってピストルを隠す。この実際の犯罪を怖れたから吾郎にアリバイをつくらせておるのではないか。

やっぱりそうか、よかった、とホッとはしても、吾郎の犯罪と思うはずはなく、この小説はピンからキリまで人間性をゆがめ放題にゆがめている。読者に犯人の当るはずはない。

★

第二の欠点は、超人的推理にかたよりすぎて、もっとも平凡なところから犯人が推定しうる手掛りを不当に黙殺していること。

例えば犯人は東京の犯行と見せかけて大阪で犯行を行ったが、そのためには、砂のつまったトランクを大阪のアパートで受取らねばならず、コントラバスケースを盗みだしてアパートへ持ちこみ、また持ちださねばならず、以上の如くアパートを中心に大きな荷物を入れたり出したりしているのである。警察の刑事の捜査だったら、こういう最も平凡な点から手がかりをつかみだすのが当然で、読者の方では無論そうあるべきものと思っているから、刑事がそれをかぎださぬ以上、そんな疑いがないからだ、と思う。

アパートを中心にトランクの出入、コントラバスケースの出入、そんな疑わしい事実がなかったのだ、と考える。だから読者には大阪の犯行を推定する手掛りが見つからない。

★

だから解決編に至って、由利先生がアパートの砂袋を推理によって推定する。読者はその天才的推理に驚嘆するよりも、なんのことだい、それじゃアモッと平凡に刑事がかぎだしていそうなものじゃないか、もしまた、大きな荷物の出入を刑事にさとられる手掛りなしにやった犯人なら、砂袋をアパートにおくはずはない。アパートのオカミサンなどというものはアパート内の物品が右から左へ動くだけの変化にも鋭敏で、砂袋がふえていれば、すぐ話題になる性質のものなのである。

ここにもまた、作者は人間性をゆがめ、不当に人間性をオモチャにもてあそぶ欠点をもバクロしている。

探偵小説が天才の超人的推理を必要とするのは、犯人がまた天才的で、凡人の発見しうる手掛りを残しておらぬからなのだが「蝶々殺人事件」の場合はそうではなくて、犯人が平凡な手掛りを残しているに拘らず、作者が強いてそれを伏せて、自分の都合のよいように黙殺しておるのである。これでは読者に犯人が当るはずはあり得ない。

★

第三の欠点はこれに関連しているが、つまり、探偵が犯人を推定する手掛りとして知っている全部のことは、解決編に至らぬ以前に、読者にも全部知らされておらねばならぬ、ということだ。

読者には知らせておかなかったことを手がかりとして、探偵が犯人を推定するなら、この謎ときゲームはゲームとしてフェアじゃない。犯人は読者に当たらぬのが当然で、こういうアンフェアな作品は、作家の方が黒星、ゲームにはならない。

★

横溝氏の「蝶々」の場合のみではなく、世界的な名作と称せられる作品でも、以上三つの欠点のどれもないというものはメッタにない。つまり大概、謎の成功のために人間性をゆがめたり、不当なムリをムリヤリ通しているもので多少のムリは仕方がない、というのは許さるべきではない。不当なムリがあれば、それは作者と作品の黒星なのである。

★

私は探偵小説を謎ときゲームとして愛してきたもので、このような真夏の何もしたくないような時には、推理小説を読むこと、詰碁詰将棋をとくのが何より手ごろだ。そのあげくに、暑気払いのつもりで、私もこの夏、本格推理小説を書きはじめたが、これは趣味からのことで、私自身は探偵小説を謎ときゲームとして愛好しているだけの話、探偵小説は謎ときゲームでなければならぬなどと主張を持っているわけではない。

木々高太郎氏の探偵小説芸術論、これも探偵小説を愛するあまりのことで氏の愛情まことに深情け、あげくに惚れたアノ子を世の常ならざる夢幻の世界へ生かそうという、至情もっともであるが、いささか窮屈だ。探偵小説はこうでなければならぬなどと肩をはってはいけないもので、謎ときゲーム、芸術の香気、怪奇、ユーモア、なんでもよろしい、元々、探偵小説というものは、読者の方でも娯楽として読むに相違ないものなのだから、本来が、軽く、意気な心のあるものでなければならない。

ドストエフスキーの「罪と罰」を探偵小説と考えてはいけないので、元々文学は人間を描くものだから犯罪も描く。犯罪は探偵小説の専売特許ではない、文学が人間の問題として自ら犯罪にのびるのに比べて、探偵小説は、犯罪というものが人間の好奇心をひく、そういう俗な好奇心との取引から自然に専門的なジャンルに生育したもので、本来好奇心に訴えるたのしいものであるべきで、もとよりそれが同時に芸術であって悪かろう筈のものでもない。

木々氏は芸術と云うけれども、私は別の意味で、文章の練達が欲しいと思う。文学のジャンルの種々ある中で、探偵小説の文章が一般に最も稚拙だ。

呪われたる何々とか怖ろしい何々とか、やたらに文章の上で凄がるから読みにくくて仕様がない。そういう凄がり文章を取りのぞくと、たいがいの探偵小説は二分の一ぐらいの長さで充分で、その方がスッキリ読み易くなるように思われる。

凄味というものは事実の中に存するのだから、文章はただその事実を的確に表現するために機能を発揮すべきものだ。

その次に、日本の探偵小説は衒学すぎるところがある。ヴァン・ダインの悪影響かと思うが、死んだ小栗虫太郎氏などとなると、探偵小説本来の素材が貧困で、それを衒学でごまかす、こういう衒学は知性のあべこべのもので、実際は文化的貧困を表明しているものなのである。世間一般にあることだが、独学者に限って語学の知識をひけらかしたがるが、語学などは全然学問でも知識でもなく、語学を通して読まれたテキストの内容だけが学問なのだが、一般に探偵小説界は、まだ知識の語学時代に見うけられる。

法医学上のことなども、衒学的にふりかざされており、別にそうまで専門的なことを書く必要もないところで法医学知識をふりまわす。そのくせ重大なところで、実は法医学上の無智をバクロするというような欠点もある。

たとえば、恐怖を顔に表して死んでおった、などとあるが死顔に恐怖が現れても死ぬ瞬間の恐怖などとは関係のないことで、たのしい心中でも死顔は苦悶にゆがむ。恐怖の死でも、死後の肉体の条件で幸福な顔付になるかも知れず、そんなものが犯罪捜査の手がかりになったとしたら、この探偵は大概失敗するにきまっていると私は考えるが、然し案外大マジメに日本の探偵小説にはこんなところが現れてくる。

犯罪の捜査上、どうしてもそれだけの法医学上、又は他の学問上の専門知識が必要だという絶対の要請のあるところでだけ、正確な専門知識の裏づけを欠かないように心がけるべきものではないかと思われる。

★

日本の探偵小説の欠点の一つは殺し方の複雑さを狙いすぎることだろう。

兇器を仕掛けて歯車だの糸だの利用して、自然に仕掛から兇器が外れて殺人を完成するというような、こういうことを考える作者はこれを完全犯罪の要素だと考えているのかも知れないが、私はあべこべだと思う。

こういう仕掛というものは相対的な条件が必要で、被害者の位置が定まっているとか、何時何分に被害者がその位置にあるとか、その一致というものはプロバビリティの低いものが大多数で、これが外れれば一気にシッポをだす。完全犯罪どころか大不完全犯罪で、失敗の率が高いし、失敗したら、それまでではないか。

こんな仕掛にたよるのは危険で、だいたいこれらの仕掛がうまく行っても即死は不可能、カタワになるとか、急所を外れて生き返るとか、その程度まで行けば上乗という性質の仕掛が多いのである。

そんな仕掛にたよるよりも、短刀でグサリと突きさす方が確実である、ピストル、毒薬、直接、自ら手を下してジカに殺す方が間違いの少いのは明かだ。それにも拘らず、なぜ仕掛をする必要があるか、その最大の理由は、アリバイのためだ。

だからアリバイさえ他に巧みに作りうるなら、外れる危険の多い仕掛などはやらぬに限る。問題はアリバイの作り方の方にある。

この根本が忘れられて、完全犯罪といえば、すぐ仕掛け、やたらに仕掛けを考える。いくら考えても直接グサリとやるよりも失敗率のすくない仕掛などは殆どない。なぜなら被害者は生きた人間で、時間通りにチョッキリきまった場所にさしかかるような機械と違う。そんな偶然をあてこむ仕掛よりもアリバイの作り方に重点をおく方が実際は「有りうること」でありつまり読者を納得させるものである。

懸賞探偵小説というと、たいがいこの殺しの仕掛、次に殺した後に自然に鍵のかかる仕掛がでてくるのだが、果してその仕掛で殺せるか、殺せるとしてもそのプロバビリティがどのくらい高いものか、そういうところは徹底的に批判して、作者自身がこの程度でなんとかなろう、というような安易な気持で書いておいたとしたら、トコトンまで追求して、その不埒(ふらち)な安易さをギュウギュウ油をしぼってやらねばならない。こういうところが日本の探偵小説の今後の発展のために最も重大なことで、この根本に確実なリアリテを欠いていたなら、その作品は完全落第なのである。

小栗虫太郎氏の作品などは、仕掛の確実さを追求したらまことに怪しいオソマツなものばかりで、その安易な骨組をごまかすために衒学の煙幕をはったもの、こういう手法は最も非知的な児童的カラクリでかかる欠点は大いに追求されねばならぬ性質のものであった。

今までの日本は、容疑者がすぐひっぱられる、自白だけで起訴される、全然探偵小説のできあがる条件がなかったのだが、こんどは物的証拠がなければ起訴し得ず、本人の自白だけではどうすることもできなくなって新憲法は探偵小説の革命的発展を約束づけているようなものだ。

以上の私の感想は、探偵小説を謎ときゲームとして愛好する一趣味家が、その趣味上からの感想をのべたにすぎないもので一アマチュアの感想にすぎない。

謎ときゲームとしての推理小説は、探偵が解決の手がかりとする諸条件を全部、読者にも知らせてなければならぬこと、謎を複雑ならしめるために人間性を納得させ得ないムリをしてはならないこと、これが根本ルールである。

# トリック無用は暴論か

都筑道夫

## 都筑道夫（つづき・みちお、1929―2003）

作家。一九五六年田中潤司を引き継いで早川書房の日本語版EQMM（現在のミステリマガジン）の実質初代編集長に就く。それ以前にすでに作家として幅広いジャンルの作品を量産していたが、ミステリ専門となるのは、早川書房退社後で、六一年の『やぶにらみの時計』からである。編集者時代のポケットミステリの解説には定評があり、それらは『都筑道夫ポケミス全解説』としてまとめられている。退社後も評論・解説の仕事を続ける。長篇評論『黄色い部屋はいかに改装されたか？』は一九七〇年から翌年にかけてミステリマガジンに連載された。また、長大な自伝『推理作家の出来るまで』で日本推理作家協会賞を受賞している。

初出＝ミステリマガジン一九七一年二月号／底本＝『黄色い部屋はいかに改装されたか？』晶文社一九七五年

## 騒音で予定を変更

目下、私の家のまん前で、住宅公社が十一階建ての分譲住宅を建てています。工事そのものの騒音は、当初におそれていたほどでもないのですが、建築現場がひろいものですから、さまざまな連絡を、プレハブの事務所のスピーカーでやって、これが凄じい。

朝は七時すぎから、夜は六時すぎまで、「なんとかの綱わたりさん、場内電話に出てください」とか、「ぎょろ松のなんとかさん、事務所にご飯がとどいてます」とか、傍若無人にわめき立てます。綱わたりさんがフナワタリさんとわかるまでに数日かかり、ギョロマツのほうはいまだにわからない、ということだけでも、機械のわるさと使用法のまずさが、想像できるでしょう。

こちらはもともと、仕事はおもに夜やって、午前ちゅうは寝ているのですが、このスピーカーのおかげで、どうしても眠りが浅くなる。だから、睡眠時間が長くなる。ひどいときには、目をさまさせられては眠り、目をさまさせられては眠りして、夕方まで床から出られません。しじゅう睡眠不足の感じがつきまとって、起きてからも、仕事に身が入らない。予定も狂いっぱなしで、今月はフィリップ・マクドナルドの作品を数冊、読んでから、それを材料に、このエッセーを書くつもりだったのですが、最初の一冊がまだ片づかないありさまです。

フィリップ・マクドナルドの長篇は、狙いは派手なのに、展開のしかたが地味なせいか、「やすり」と「消えた看護婦」ぐらいしか訳されていませんが、モダーン・ディテクティヴ・ストーリイを考える上で、欠かせない作家でしょう。つねに解決にいたる論理を、第一に重んじているからです。そこで、以前に読んだ記憶をたよりに、話をすすめさせていただく。あやふやになって、歯がゆくても、私を怒らないでください。住宅公社のがさつなスピーカーのせいなんですから。

最初の意識的な推理小説であるポオの「モルグ街の殺人」に、犯人のトリックがないことは、前回に指摘しておきました。エラリイ・クイーンがダシール・ハメットへの賛辞のなかに、「ハメットは新しい探偵小説を発明したわけではない。探偵小説の新しい書きかたを発見したのだ」といっているのを真似れば、ポオは新しい小説を発明したわけではなく、怪奇な殺人の小説に新しい解決のしかたを発見し、それを実践したから、偉大なのです。

したがって、謎とき推理小説の中心は、事件解決への論理であって、作中人物である犯人のかまえるトリックなぞ、不要ともいえるのです。そのことは前回、最後に強調しておきましたが、そうはいっても、謎とき小説にあつかわれる犯罪は、職業的犯罪者でない人間の計画的犯行であるほうが、のぞましい。けれど、殺人狂といっていいような人間の無目的にちかい犯行をあつかっても、パズラーに仕立てられないわけではありません。

たとえばフィリップ・マクドナルドの長篇に、「X対国王」*X vs. Rex*というのがある。一九三三年にマーティン・ボーロックという別名で発表したもので、三九年に井上良夫が抄訳、新青年にのせていますが、完訳はまだ出ていないようです。これが、狂的な連続殺人をあつかっている、警官殺しです。

イギリスで、制服の警官が、次つぎに殺される。最初は地方都市で、やがてロンドンで――手がかりはいっこうに、見つかりません。ところが、数件めにやっと容疑者が出て、逮捕される。それが、社交界の花形の若い男爵かなんかなので、話題になります。おどろいたのは、その男の婚約者、これが警視総監の娘なんです。

娘はなんとか、未来の夫の嫌疑をはらそうとして、奔走する。うまくいかなくて、レストランで消沈していると、声をかけてきたひとりの男。これが口じょうずで、娘の心をとらえ、いろいろアドバイスをして、男爵を助けだす。娘はすっかり信用して、この男の意見を、父の警視総監に話すんですが、それが実にするどい。なにしろ、新たな警官殺しが起って、新聞からは総攻撃をうけ、だれの知恵でもかりたいところだから、えたいの知れない人物だけれど、総監はその男にあう。それからが本筋で、総監、担当の警部、正体不明の男、娘に男爵までくわえ、ロンドン市民ぜんぶが容疑者ともいえるなかから、論理的に犯人をしぼりだしていくわけです。

## 大きな事件と小さな事件

フィリップ・マクドナルドは、こういった大規模な犯罪、あるいはごくあいまいな犯罪的な状況を、すこしずつ論理で攻めていって、真相にたどりつく、という構成が、好きと見えます。「消えた看護婦」という作品は、ヴァン・ジョンスンの主演で映画になって、たしか「黒い誘拐」という題で、深夜テレビでやりました。喫茶店で聞いた会話の断片から、誘拐事件をかぎつけて、推理していく話ですが、原作の名探偵アントニイ・ゲスリンは、映画には出てこない。副主人公のアメリカ人の劇作家を、第二次大戦で失明したことにして、つまり、めくらのしろうと探偵にしていました。なかなかうまい脚色で、ことに喫茶店で小部屋の話を聞くところは、ほかの客がやっているピンボール・マシンの音で、会話が切れ切れになるあたり、原作以上のおもしろさです。

「エイドリアン・メシンジャーのリスト」も、ジョン・ヒューストン監督で映画になって、ジョージ・C・スコットが見事なアントニイ・ゲスリンぶりを見せていました。旅客機の爆破事件で死んだ小説家の最後のことばと、遺品の人名リストから、やはり大きな事件を推理していく話です。映画は犯人になるカーク・ダグラスの変装ぶりを、表面に出して売りものにしていましたが、論理的捜査のおもしろさの片鱗も、よくつたえていました。「X対国王」のほうは、だんだん範囲をせばめていって、真犯人を逮捕するわけですが、最後に名探偵役をつとめた男の正体について、独創的ではないけれども、気のきいたオマケがついています。これらの作品で、マクドナルドが展開する論理は、アクロバティックな派手なものではありませんが、リアリスティックで、説得力はじゅうぶんです。

マクドナルドはこういう大きな事件ばかり、書いているわけではなく、家庭内の殺人事件もあつかっていて、ことに「正体不明の人物」***Persons Unknown***という作品は、完全にフェアなパズルを書こうとした点で、見のがせません。ロンドンのある屋敷で、女出入りの多い暴君的な大金持が、殺害される。作品は検死法廷の速記のスタイルになっていて、関係者全員の証言が紹介され、評決は「ひとり、あるいは多数の正体不明の人物による他殺」ということになる。それが全体の四分の三をしめています。

残り四分の一は、手紙の形式になっていて、この速記を送りつけられて、静養先のスペインで読んだアントニイ・ゲスリンが、友人へ自分の推理を書きおくる。つまり、読者にとっては、法廷記録の部分が問題篇、というわけです。ゲスリンは、なんの予備知識もない。関係者もぜんぶ、未知の人物だから、ゲスリンと読者の立場は、まったくイクオルなんです。

ゲスリンは証言のささいな矛盾を土台にして、論理を組みあげ、真犯人を指摘します。タネをあかせば、なあんだ、というようなことが、推理の出発点になっているのです。以上に題名をあげた四作とも、犯人がわにいわゆる大トリックはありません。あるのは解決にいたる論理の展開の興味です。

エラリイ・クイーンの「オランダ靴の秘密」や、「途中の家」でも、犯人のトリックは、むしろ凡庸なものでした。印象にのこるのは手術衣の裾を折りかえしたズボンや、絆創膏でひもをつないだ靴から、組みたてられる推理であり、マッチの燃えかすと焦がしたコルクから組みたてられる推理でしょう。

ですから、極端ないいかたをすれば、本格推理小説におけるトリックの研究なんてものは、無意味なんです。

## パズラーは特別料理

無意味といってしまっては、身も蓋もない。枝葉の研究のひとつとしては、トリックの蒐集分類は意義もあるし、作家の役にも立つに違いありません。けれど、その前に必要なのは、たとえばミッシング・リンク・テーマとか、ダイイング・メッセージ・テーマとか、予告殺人テーマといったテーマの研究、パターンの分類でしょう。そこから、トリックのほうへ進むのならいいが、日本では逆立ちしている。

だから、アリバイつくりや密室構成にばかり、うき身をやつして、必然性もなければ、推理のおもしろさもない作品が、横行するんじゃないか、と思います。私も不可能犯罪は好きですから、決して否定するわけではありません。ただトリックだけに狙いをさだめていると、前回でこきおろしたジャック・リッチイの短篇みたいなことに、なりがちだということを強調したいのです。

最近に発表された日本の新進作家諸氏のパズラー、森村誠一の「高層の死角」「新幹線殺人事件」、大谷羊太郎の「殺意の演奏」、斎藤栄の「奥の細道殺人事件」などに、マニアのひとりとしての私をふくめた海外推理ファンが感じる不満も、そういった点にあるようです。たとえば、どんなに矛盾なく、たくみにつくられた偽アリバイでも、それを使おうと考える犯人の考えかたが不自然だったら、それは非論理的なものであって、推理小説として成立しないのです。どんなに自然で巧妙な密室トリックでも、密室にする必然性がなかったら、それは不自然な密室であって、モダーン・ディテクティヴ・ストーリイとしては、落第なのです。

前にもいったはずですが、過去に無数の推理小説を持っている現在では、そうやって殺せば自分が疑われずにすむから、というていどの必然性で、納得することはできません。突きつめていえば、どんなトリックも、不自然ということになるでしょうが、そこを一応うなずかせる言葉の魔術が欲しいのです。

どうせ絵空事のお話なんだから、トリックさえ奇抜ならいいじゃないか、というのでは、逆行でしかありません。敗戦から間もなく、ハイティーンの私がカストリ出版社につとめて、最初に手がけた探偵小説の単行本が、某大家の長篇でした。そのひとにとっても、自信のある作品でなかったことはわかっているので、名前は伏せますが、戦前のものをもってきて、仙花紙本にしたわけです。

　袋小路で殺人がおこなわれ、目撃者がいる。その目撃者のいうことには、犯人は自分に気づくと、ふわふわと宙に舞いあがって、片がわのビルの四階の窓に、逃げこんだ、というのです。いくらなんでも大家なんだから、なんとか理屈をつけるだろう、と思っていると、意外、それも悲しい意外で、証言はうそ、目撃者が犯人でした。うそでもいい。宙に舞いあがって、四階の窓に入らなければならない理由が、強力にあればまだ救われるけれど、それもないのです。

　これは極端な例ですが、こういう作品が探偵小説として通用した時代に、逆もどりしていいはずはありません。第一それでは、松本清張が出てきた意味が、なくなるでしょう。事件本位だった推理小説をプロット本位の推理小説に移行させたところに、松本清張の仕事の意義がある、と私は考えますが、新しい本格ミステリは、プロットと事件を両立させることから、歩みだすべきでしょう。

　推理小説にこういった批判をくわえた場合、いちばん予想されやすい返事は、マニアのために書いているんじゃない、というもののようです。けれど、ちょっと考えれば、こんなナンセンスな反論はないので、推理小説は推理小説の好きな読者を対象として、書かれるはずでしょう。作者の書きたいのは、ほかの点であっても、その物語の中心に殺人がおかれ、犯人はだれかという問題になって、最後で真犯人が暴露される、と三拍子そろえば、これはもう推理小説いがいのなにものでもない。目的はほかにあって、殺人や犯人究明は手段にすぎないのだから、推理小説としてきびしく評価されては困る、と作者がいったとしたら、それは詭弁にすぎません。

推理小説は、推理小説の好きな読者を、まず第一に想定して書かれるべきで、ことにパズラーは専門店の専門料理のごときものです。デパートの食堂でも、大衆食堂でもない。うなぎ屋であり、おしるこ屋であり、豆腐料理屋です。うなぎの味をいちばん生かした蒲焼を出すのが、うなぎ屋の誇りでしょう。したがって、板前がまず頭におくのも、うなぎの好きな、毎日でも食いたいという客のはずで、きょう初めて、蒲焼というものを食べます、という客ではないはずです。

くどいようですが、カレーライスの専門店に入る客は、そば屋のカレーライスよりうまいのが食えるだろう、と思うからこそ入るのです。もし、その店の主人が、嫌いな客も呼ぼうとして、オートミルの味のするカレーライスをつくったとしたら、カレー好きの客は愛想をつかすでしょう。おそらくは、オートミルの好きな客にも、それがカレーライスに見えることによって、敬遠されるに違いありません。

## 三本指の男の問題

また前回のくりかえしになるようですが、どんなに荒唐無稽な犯罪でも、それが完璧な論理で解明されたとき、荒唐無稽ではなくなります。「モルグ街の殺人」を書いたとき、ポオが狙ったところも、おそらく、そこだったろう、と思います。

故人の白石潔(しらいしきよし)は、横溝正史の「本陣殺人事件」を評したかなり長文のエッセーのなかで、横溝がこの作品に奇怪な三本指の男を登場させたことを、大きな欠点として非難していました。逆に私はこの一事で、本格推理小説の理解者としての白石潔の資質に、うたがいをいだいたものです。論理で解明されれば、荒唐無稽な犯罪も、そうでなくなるといったところで、パズラーぎらいのひとには通じないでしょうけれど、パズラーを批評するひとが、うわべのグロテスクだけで、ものをいっては困ります。

なぜなら、「本陣殺人事件」のなかで、いちばんモダーン・ディテクティヴ・ストーリイらしいおもしろさの充実しているところ、もっと単純に、小膝をたたくようなところ、うなるようなところ、といってもいいのですけれど、それは冒頭で異様な三本指の男が、「一柳さんのお屋敷へいくには、どういったらいいのでしょうか」と聞く。その理由が、おしまいのほうで、わかるところだからです。

それを効果的にするためには、三本指でなくてもいいが、見るからに不吉な人物でなければならない。そのほかの点でも、この男のつかいかたはなかなかうまく、戦前の横溝作品を知っている読者には、例の草双紙趣味のグロテスク人物か、と思わせておいて、あっといわせる役目も果しています。だいたい「本陣殺人事件」のすぐれたところは、一読しただけではわからないような凶器はこびだしのトリックよりも、動機とか、密室が犯人の予想外だった点だとか、いろいろ細かい工夫にあるのですから、うわっつらの現れかただけを問題にするのは間違いでしょう。

論理よりもトリックを主にする考えかたが、ここにも影響しているのかも知れませんけれど、嫌いなひとも、好きなひとも、事件だけを問題にしているように、私には思われます。江戸川乱歩は戦前すでに、けっきょく日本人には論理のおもしろさは、むいていないのではないか、と疑問をもらしていますけれど、その通りのような気のするときが、私もあります。

パズラーが好きだというひとの多くは、事件の表面のおもしろさだけが好きなのであって、論理はどうでもいいのではないか、と乱歩はなげいたわけでしょうが、それが当っていてもらいたくはありません。

ところで、「本陣殺人事件」を持ちだしたついでに、横溝正史のほかの長篇に言及しておくと、私は「獄門島」を最高傑作と見ています。「獄門島」はモダーン・ディテクティヴ・ストーリイですが、「蝶々殺人事件」は昨日の本格でしょう。「悪魔の手毬唄」も昨日の本格で、「犬神家の一族」は破綻はあっても、今日の謎とき小説になっていると思います。

なぜ「獄門島」を今日の傑作といい、「蝶々殺人事件」を昨日のタイプと見るか、次回で説明してみたいのですが、それにはどうしても、犯人その他にふれざるをえない。全集が完結したばかりの作家の作品を、そうしてもいいものかどうか、まだ迷っています。

# 必然性と可能性

都筑道夫

初出＝ミステリマガジン一九七一年三月号／底本＝『黄色い部屋はいかに改装されたか？』

晶文社一九七五年

## 昨日と今日のあいだ

前回、横溝正史の作品の話になったところで、今日の謎とき小説、昨日の本格、という言葉をつかいましたが、べつに推理小説史の上に一本、線をひいて、きのう今日をわけたものではありません。年代的には古い作品でも、今日に立派に通用するものもあるわけです。

だから、発表の早い「獄門島」を今日の謎とき小説といい、あとで発表した「悪魔の手毬唄」を昨日の本格といっても、問題は内容なのですから、おかしくはない。ただ評価の理由は、いっておかなければいけないでしょう。

けれども、それには犯人やトリックに、ふれなければならないかも知れません。こういう種類の評論の場合は、それもやむをえない、と思うのですが、これには反対のかたもあるに違いない。できるだけ、だいじな点にはふれないようにするつもりですが、「獄門島」や「悪魔の手毬唄」をまだ読んでいないかたは、今回の私のエッセーは飛ばしていただいたほうがいいかも知れません。

いま題名をあげたふたつの作品は、どちらもおなじパターンの作品です。見立て殺人、とでもいいましょうか。「獄門島」は俳句見立て、「悪魔の手毬唄」は題名どおり、手毬唄見立て、というわけです。けれども、前者を私が日本屈指の傑作とし、後者を失敗作とするのは、理由は簡単、これまでなんどもくりかえしたように、必然性の問題です。

「悪魔の手毬唄」の犯人は、その地方の古い手毬唄にのっとって、次つぎに若い娘を殺していきます。死体は奇妙なアクセサリをつけて、発見されるわけです。読者には序章で、その唄が紹介されるので、すぐわかりますが、作中人物たちには、わけがわからない。土地でもわすれられて、よほどの年よりでもなければ、知らない唄だからです。

ふつう見立て殺人のパターンは、それが見立てであることが、作中人物にも早くからわかって、恐れおののくものです。けれども、それが早く知れると、次の被害者がわかってしまうので、作中人物を怖がらすわけにはいきません。作者も痛し、かゆしのところです。といって、犯人が見立て殺人をおこなう強力な理由も、説明されてはいない。つまり、見立て殺人が生きていないのです。ただのオブセッションであったのでは、狂人ということになって、まあ、狂人にもそれなりの必然性と、信じられる論理はあるのですから、解明できないわけではないけれども、それでは犯人暴露のあとの推理が長くなりすぎる。犯人さがしの謎とき小説としては、常人の必然性がほしいところですが、それはないのです。

ある人物が、見立て殺人とわかったとたんに疑われて、ひとつの効果はあげていますが、その人物は最初に殺されています。

犯人がその人物を疑わせようとして、同時に恐怖をその人物にあたえようとして、見立て殺人をおこなう――つまり、その人物がもっとあとまで生きていたなら、まだわからなくもありませんが、そうでもない。第一、犯人が見立て殺人であることを、積極的に知らそうとはしないのです。なぜ古い手毬唄にのっとって、なん人ものひとを殺したのか、ついに犯人の口からは聞かれないまま、小説はおわります。

タイトルにまでなっている重要な問題が、ただ読者の興味をそそるための道具立てにしかなっていないのですから、黄金時代末期の奇に走りすぎて論理の一貫をわすれた本格、といわれても、しかたがないでしょう。といって、「獄門島」の見立て殺人が、強力な必然性に裏うちされているわけではありません。

したがって、作者が書こうとしたのは、今日からいえば、モダーン・ディテクティヴ・ストーリイではなかったでしょう。しかし出来あがったものは、今後の時間の重みにも耐えうるような傑作だったのです。それは、見立ての必然性をわすれたことによる空隙を、構成の論理が埋めているからです。

この作品で、俳句見立ての殺人を考えた人物は、実際に殺人をおこなった人物ではありません。考案者は、事件の起るずっと前に、死んでいるのです。この考案者は遊びずきの、かなり奇矯な人物で、見立て茶番などをするのが、好きでした。それが、ある事態が起って、このままでは将来のわが家をめちゃめちゃにするかも知れない数人の人間を、はげしく憎むことになる。しかも、自分の死期は迫っています。

じゅうぶん予想されうるあることが起ったときには、その人間たちを殺さなければならない。けれど、自分はそのときには、死んでいるだろう。それだけに、憎悪はひとしおで、頭のなかの殺人計画は、奇怪なかたちをとってきます。そうして生れたのが、見立て殺人の計画なのです。

自分は実行できないだけに、その計画は自分の性癖にかなった奇怪で、あくどいものでなければならない。そのいっぽう、自分は実行しなくてすむという、意識には決して出てこない安心感がありますから、ますます妄想に近づく、そのあげく、心配しているようなことが起ったら、この計画を実行しろ、とある人物に迫る。死にかけている考案者を安心させるために、その人物は承知します。

考案者は死に、その心配していたようなことにも、なったように見えてくるのですが、そこへ考案者の考えていなかったことが起る。計画に重要なある物が、獄門島からなくなってしまうのです。ところが、考案者の心配がはっきり確定するのと、ほぼときをおなじくして、島からなくなり、この世からもなくなったと思われていた計画に必要なものが、戻ってくることになる。

この偶然の重なりが、実行者に決意させるのですが、ここらの設定は出色です。本格推理小説には偶然があってはならない、といわれますが、要はつかいかたで、うまくつかえば、生きるのです。この運命の重みが、実行者に考案者の考えた通り、殺人をおこなわせることになるのですから、この偶然は生きています。

見立て殺人そのものの必然性は閑却されていても、考案者のおかれた状況と性格、偶然の重なったショックから、実行者がその計画に盲従せざるをえなくなる、という構成によって、必然性が出てくるのです。絵空事の犯罪を、納得させる力になっているのです。

## 論理のアクロバット

「悪魔の手毬唄」どうよう「獄門島」もパターンの正攻法からは外れていて、見立て殺人であることが、(この場合は読者にも) なかなかわかりません。それがものたりなくて、作者は「悪魔の手毬唄」を書いたようですが、横溝正史には思考のトラックに狭さがあって、けっきょくはおなじ結果になっています。

見立て殺人であることが、なかなかわからなくても、「獄門島」のほうには、第一の殺人のとき、現場である人物が、「気ちがいじゃがしかたがない」とつぶやく。その言葉が、主役の名探偵、金田一耕助を悩ます、という卓抜なオマケがついていて、じゅうぶん読者を満足させます。

パズラーのおもしろさは、前回にのべた「本陣殺人事件」における一柳家を三本指の男が近所で聞いた理由や、この「気ちがいじゃがしかたがない」のなぞにもあるので、その点も近来の日本ミステリはわすれているような気がします。

こういう登場人物の（つまりは読者の）錯覚を、作者がたくみに利用して、あとでアッといわせるところを、私は「論理のアクロバット」と呼んでいますが、非論理、超論理の支配する現代では、こうした論理のアクロバットを重視して、必然性第一にプロットを組みあげる以外、本格推理小説の生きのこる道はない、と私は思うのです。

破綻はあっても、「犬神家の一族」を私が今日の本格と呼ぶ理由は、あの作品をお読みになったかたには、おわかりでしょう。「犬神家の一族」も、やはり見立て殺人の一種です。たしか「斧（よき）、琴、菊」という染模様の謎絵にのっとって殺人がおこなわれた、と記憶します。書斎が乱雑の極に達しているのを、いいさいわいに、不精をきめこんで、作品を読みかえさずに、記憶で話をすすめてしまいますが、発見される死体の状況が斧あるいは琴といった言葉を、あらわしていたと思います。

この場合は、実際の犯人と見立て工作をした人物が、別人です。工作者は真犯人をかばおうとして、とっさに見立てをやるわけです。真犯人を指さしている必然性を否定するために、見立て殺人に見せかけるわけですから、見立てそのものの必然性はいちおう問題でなくなります。

こんなふうに説明してくれれば、私が「蝶々殺人事件」を低く見る理由を、くわしくいう必要はないでしょう。この作品のトリックのひとつ、窓から被害者をつき落して、犯人が消えてしまうそれには、私も敬意を表しますが、コントラバス・ケースをあちこち移動させるトリックは、犯人がむだな危険をおかしているようにしか、思えません。共犯者のつかいかたにしても、そうです。

またしても必然性で、あまり必然性、必然性というと、どうせ絵空事だって、お前もいってるじゃないか、トリックがおもしろければ、必然性なんかどうでもいいだろう、といわれるかも知れません。たしかにディクスン・カーも、「三つの棺」のなかの有名な密室講義のなかで、問題は必然性ではなく可能性だ、ということをいっている。密室のトリックさえ、現実におこなえる完璧さがあれば、なぜそんな犯行をわざわざするかは、問題じゃない、というわけなのでしょう。

逆立ちをしている男に、逆立ちしながら足を地につけろ、と要求するようなもので、必然性を要求するのは、密室ものなんぞ嫌いだ、という表明にほかならない、ともいっています。けれども、このいいかたは、カーの弱点をさらけだしているだけのように、私には思われます。

推理小説のなぞは、舞台奇術のなぞとは違います。血みどろ芝居の恐怖とも違います。舞台の上で血が流れ、人間の首がころがって、ほんとに首がころがったように見えれば、いいというものじゃない。舞台奇術のなぞは、いわば観客が出した不可能な問題を（実際には観客の興味を推量して、奇術師じしんがつくる問題ですが）、可能にしてみせればいいのです。奇術師の生活も、観客の生活も、かかわりがない。釘づけにした箱から、抜けだして見せる、といったひとつの場景だけが、問題なのです。

推理小説の不可能問題も、読者がそれを希望し、作者が可能にしてみせるだけのことには、違いないけれど、そこには登場人物の生活があります。それは、われわれの生活を模したオーディナリ・ライフです。つまり、パズラー・ファンの欲するのは、オーディナリ・ライフに起るエクストロディナリ・ケースと、その解決です。カーのたとえを借用すれば、逆立ちしたまま、人殺しをする話にはどうやったか、というだけでなく、なぜ逆立ちしたか、までが謎なのです。

逆立ちした理由は、どうでもいい、というのでは、舞台奇術と変りがない、舞台奇術は、いまやナイト・クラブのアトラクションになりさがって、昔日の栄光はありません。けれども、アマチャー奇術には、まだ多くのファンがつどって、研究し、演技するよろこびを味っています。舞台奇術の大道具、大仕掛のマナリズムにくらべて、アマチャー奇術にはメンタルな要素があり、論理のアクロバットがあるからだ、といったら、こじつけになるでしょうか。

エラリイ・クイーン同様、毎年、新作を発表しているのに、カーがなんとなく過去の作家といった感じがするのは、推理小説を舞台奇術とおなじように考えているこうした態度が、影響しているのかも知れません。

## ホワイダニット

もっとも、可能性が問題で、必然性は問題じゃない、といっているのは、作ちゅうの名探偵フェル博士ですから、カーの考えはまた違うところにあるのかも知れない。「三つの棺」そのものは、無理なく出来あがっています。密室の犯罪が二つ出てきますが、どちらも偶然、そういう不可思議な状況になってしまったもので、その二つのうちのひとつを構成するトリックに、奇術趣味が強すぎるのを嫌うひともあるかも知れないけれど、まあ、いいでしょう。そうそう完璧をもとめていたら、失望ばかりしていなければなりません。

考えてみると、密室もののよく出来た作品は、密室が犯人の意図したものでなく、たとえば天気予報では晴れだったのに、急に雪がふったとか、窓をあけて架空の犯人の逃げ口をつくっておいたけれど、策略で外出させた番人が早く戻ってきていて証言をしたとか、計画の狂いから不可能犯罪になってしまった、というものが、案外に多いようです。強く意識する、しないにかかわらず、やはり作者は必然性を考慮しているからでしょう。

推理小説を読む読者の興味は、まず犯人はだれか、ということから、はじまります。次の段階はどうやって殺したか、という興味です。最後にいきつくのが、動機の興味。アメリカ語でいえば、フーダニット、ハウダニット、ホワイダニットの順で、読者の興味は深まり、同時にこれはパズラーの三本の柱でもあり、この順序で作者の重点も移ってきているのです。

犯人の意外さは、フェアプレイをまもっているかぎり、もうあまり望めません。犯行方法のトリックにしても、一生懸命に考えても前例がどこかにある、という状態です。坂口安吾の現代もの推理小説をあつめた全集第十巻の解説でも、奥野健男（おくのたけお）がおもしろいことを書いている。「投手殺人事件」についての文章で、

「これは明らかに松本清張の『点と線』の先駆的作品である。いや最近『点と線』と匹敵する傑作と宣伝されている新人森村某の『新幹線殺人事件』など、ひかりとこだまの差、万博歌手のスカウト合戦など、坂口安吾の『投手殺人事件』のひょうせつとまで言わなくても、少くとも換骨奪胎でアイディアはすべて二十年前の坂口安吾にあると言っても過言ではない」

と、やっつけています。これを読んで田中潤司(たなかじゅんじ)は、

「奥野氏は推理小説の専門知識はないと断っているから、いいとして、もっと根本的に鮎川哲也(あゆかわてつや)が中川透時代に書いた『ペトロフ事件』の二番せんじであることを、専門の批評家は問題にすべきだろう。パターンとしても、『ペトロフ事件』のほうが、よく出来ている」

といっています。私は「ペトロフ事件」をわすれていましたが、そういわれれば、確かにそうです。

私自身の経験でも、自分の考えたトリックに、あとから前例が二つも三つも見つかったことがある。つまり、トリックだけにすべてをかけるわけには、いかなくなっているわけです。最後の動機の問題ですが、これを狭く、犯行動機だけに限って考えるのは、間違いでしょう。ホワイダニットのイットは、なんにでも当てはまる。犯行そのもの、犯行方法、どちらでもいいはずです。

ホワイに重点をおいて、その解明に論理のアクロバットを用意する。これが、現代のパズラーです。本格推理小説は技巧的なもので、たとえばその作中に、すぐれた思想がもりこまれていて、ひとを感動させたとしても、なぞが幼稚で、読みなれた読者に論理的興味を起させない

としたら、それは不出来なパズラーです。だから、技巧の限界が見えだした現在、小粒になるのはやむをえないとして、事件そのものよりも、解決の論理に重きをおくことが、パズラーの生きのこる道でありましょう。

アメリカの作家では、エラリイ・クイーンが、最初この道をすすんでいたのに、途中からそれていきました。ちょうど、クイーンがそれだしたころに、いいかたは違いますが、モダーン・ディテクティヴ・ストーリイの進路を明示した作家がいる。クレイトン・ロースンです。

次回では、ロースンの作品を考えなおしてみるつもりです。

**編者註**

現在、『消えた看護婦』は『Xに対する逮捕状』の邦題で、『正体不明の人物』は『迷路』の邦題で、『エイドリアン・メシンジャーのリスト』は『エイドリアン・メッセンジャーのリスト』の邦題で、それぞれ翻訳されている。

# 影の薄い大探偵〈ポアロ〉

瀬戸川猛資

瀬戸川猛資（せとがわ・たけし、1948―99）

『夜明けの睡魔』『夢想の研究』『シネマ古今集』などの著書で知られる評論家であり、誰もなしえなかった双葉十三郎『ぼくの採点表』完全版の単行本化を果たした名編集者。その早すぎた逝去を惜しむファンは多い。学生時代よりミステリマガジンの書評に起用され、早くから、その才を認められていた。本書では早川書房版世界ミステリ全集の月報に連載された名探偵群像から二編を採った。二十代半ばの文章だが、すでに瀬戸川猛資の個性が確立しているのが見てとれる。

初出・底本＝世界ミステリ全集第1巻月報早川書房一九七二年

〝郵便局から出て来たとき、ちょうどはいって来た小男と私はぶつかってしまった。私が脇に寄り、「失礼」と言うと、突然その小男は大声で叫ぶなり、私を抱きしめ、喜びの接吻をしたのである。

「やあ、モナミ、ヘスティングズ！」と彼は叫んだ。「まさに、君はヘスティングズだ！」〟

本格推理小説史上、歴史的な一シークエンスである。この小男こそエルキュール・ポアロというベルギー生まれの大探偵であり、彼が初めて読者の前に姿を現わした記念すべき一瞬である。書名はもちろん、アガサ・クリスティー女史の処女作「スタイルズ荘の怪事件」。

この一作において、ポアロの印象は確かに強烈であった。

奇妙なしゃれ者の小男。身長は五フィート四インチがやっと。頭は卵そっくりでいつも少し片方へ傾けている。ぴんと立った軍人のような口ひげを生やしており、服装にかけての潔癖さは病的なくらい。肩をすくめたり、貴婦人の手に接吻したり、しかもやたらとオーバーアクションで、おまけに自尊心が高く、すぐに「灰色の脳細胞」ということばを引き合いに出して自己の偉大さを強調する。

御覧のように徹底的に戯画化されている。この種の名探偵の少なかった当時にあって、この効果は大きかったろう。実際、この作品のクライマックスで、登場人物を一同に集めたポアロが大見得を切って、〝「では、みなさん、犯人○○氏を御紹介いたしまあす。」〟とやった時には、当時の読者は新鮮な驚きを覚えたに違いない。

ところが、である。

まことに不思議なことにこの後、エルキュール・ポアロは冴えなくなった。名探偵としての印象が薄くなった。「アクロイド殺し」、「オリエント急行の殺人」、「三幕の殺人」、「雲をつかむ死」とクリスティー女史の作品が秀れたものになるのとは逆に、ポアロの影が薄くなっていったように思われるのである。げんに、僕の友人には推理小説ファンが沢山いるが、「好きな名探偵は?」と尋ねて、ポアロの名が出た試しはない(エラリイ・クイーンという答が最も多い)。アガサ・クリスティーの熱心なファンは数多い。が、ポアロのファンは不思議なくらい見当らないのである。

確かに僕自身、クリスティーのミステリを読んでいてポアロにはどうもなじめないのである。彼がぴんと立った口ヒゲを捻れば捻るほど、卵形の頭を傾ければ傾けるほど、オーバーアクションをすればするほど、彼のイメージが薄くなってゆく感じがする。

これはどういうことなんだろう?

そも女性が推理小説を書き、男性の名探偵を創造しようとする場合、そこには大きな困難がつきまとうと思う。

名探偵とは大別して、天才型と努力型の二つである。女流作家が創造した男性名探偵で後者に含まれる者は、クリスチアナ・ブランドのコックリル警部、クレイグ・ライスのＪ・Ｊ・マローン弁護士、パトリシア・モイーズのヘンリ・ティベット警部等々だ。彼らはみなことごとく紳士であり、温厚で優しく、力強い勇気を持ち、難事件に苦しみながらも努力の結果これを解決する。

ところがクリスティーはこういう名探偵ではなく、典型的な天才型を生み出そうとした。天才とは我々凡人とは一つ次元の違う存在である。風変わりな個性でなくてはいけない。奇嬌な風貌と強烈なアクの強さを持っていなくてはいけない。そう考えたがゆえに、クリスティー女史はエルキュール・ポアロを徹底的に戯画化した。

ここに間違いがあったのである。悲しいかな、女史はやっぱり男ではなかった。心優しく、つつましやかで礼儀正しい英国女性であった。坂口安吾の言うように、まさに推理小説作りの天才ではあったけれども、男性天才名探偵の特権たる風変りで毒気のある個性までは描けなかった。

従ってポアロは一見、そういう特徴を沢山持ってはいるが、その実は非常に常識的な名探偵になった。ファイロ・ヴァンスやエラリイ・クイーン、ドルリー・レーン、ギデオン・フェルといった人々の方が断然アブノーマルでそれだけ迫力がある。ポアロは本来、努力型の名探偵であるべきが、天才型であったために、さっぱり影が薄くなってしまったのだ。

以上が僕のポアロの没個性に対する推論である。クリスティー女史もそのあたりは随分と苦心したのだろう。そんな推論をフッ飛ばすような、ポアロの面目躍如たる素晴らしい作品を中期に発表した。「愛国殺人」である。僕もこのポアロには、こんなに凄い人だったのか、と胆をつぶしてしまった。

何が何でも大探偵には違いないのである。

# ヴァージル・ティップス

瀬戸川猛資

初出・底本＝世界ミステリ全集第17巻月報早川書房一九七二年

ジョン・ボールのアメリカ探偵作家クラブ最優秀新人賞受賞作『夜の熱気の中で』は、傑作！　とはいかないまでも、かなり秀れたミステリらしいミステリである。緻密に書きこまれたアメリカ南部の田舎町の風俗描写、題名どおりの夏の夜の熱気を孕んだムード・サスペンス、謎解きの妙味も結構なもので、口うるさい本格ファンも喜んだにちがいない。

が、売りどころは別にある。

主人公のカリフォルニア州パサディナ警察捜査官ヴァージル・ティッブスが、黒人であることだ。この黒人刑事、おそろしくかっこいい。もの静かで、落着いていて、物腰が丁寧な紳士。大学出のインテリで、「科学を理解するために」などという本を読む熱心な読書家。当然、頭の切れも抜群で、シャーロック・ホームズそこのけの推理を展開し、勇気と決断力に溢れ、しかも柔道、合気道、空手の達人ときているのだから、名探偵のお手本みたいなものだ。だいたい、〝ヴァージル〟という名前からして、古代ローマの大詩人ウェルギリウスの英語読みで、非常にハイ・ブラウな名前なのである。

容貌の方も、押しつぶした鼻と厚い唇ではなく〝鼻はほとんど白人とかわりなく、口元も横一文字にキリッとひきしまっていた。肌の色がもう少し浅かったら、白人の混血と見られるであろう。〃という具合。しかも黒人に特有の体臭さえもない。

つまりは、およそ黒人らしくない黒人なのである。

白人たちを圧倒しながら、なおかつ礼儀正しく彼らに花を持たせるティッブス刑事の活躍ぶりは、確かに途方もなくかっこいい。しかしそこに、黒人がヒーローであるがゆえのかっこよさがどれだけあるだろうか、と考えてみると、ぼくは疑問を感じざるをえない。はっきり言えば、ヴァージル・ティッブスに黒人のイメージをダブらせて考えることができないのだ。作者が、彼に浴びせられる人種的偏見の視線を強調すればするほど、それを彼が克服してゆく過程を描けば描くほど、ぼくはどうにもシラけてくるのである。

たとえば同じ黒人ヒーローでも、チェスター・ハイムズの創造した棺桶（コフィン）エド・ジョンソンと墓掘り（グレイヴ・ディガー）ジョーンズの刑事コンビの方が断然、生彩を放っている。ティッブス刑事のスマートな優等生ぶりよりは、このポンコツ・コンビの八方破れの無鉄砲さ加減の方が、ずっと確かにブラック・ヒーローの実在感に満ち溢れているのだ。それは、ヴァージル・ティッブスはジョン・ボールという白人作家がデッチあげた偽者ヒーローで、棺桶と墓掘りを生み出したチェスター・ハイムズは黒人だから、まさに本物なのだよ、と言ってしまえば事は簡単に済む。が、それだけでもないように思える。そも『夜の熱気の中で』、或いは『白尾ウサギは死んだ』が堂々たる本格ミステリの骨格を備えていることに注目したい。言うまでもなく本格ミステリとは、ぼくらの現実からは及びもつかぬ、謎と論理とサスペンスに溢れた世界である。その世界のヒーローたる名探偵は、推理力と分析力と想像力を合わせもった天才でなければならない。『夜の熱気の中で』が本格ミステリである以上、ヴァージル・ティッブスもそうなった。篇中のタイヤの埃（ほこり）についての推理だけでもおわかりだろう。彼はまさに〝黒いシャーロック・ホームズ〟であり、その優等生ぶり、スーパー・マンぶりは当然なのである。

一方、本格ミステリの世界が、本質的なぼくらの現実を遙かに超えた次元の異なる世界であるのも事実である。この世界では謎と論理とサスペンスのみが重要なのであり、それ以外は附属物にすぎない。つまり、人間の肌の色などは意味を持たない。たとえ意味を持っても、それが〝人種差別〟や〝黒人対白人の対決〟などという現実の政治的命題に発展するはずはない。

ジョン・ボールはその見事な本格ミステリ世界の中で、典型的な名探偵を生み出した。が、ただの名探偵では面白くない。肌の色を黒くした。そしてそこにアメリカの現実を投影しようとした。シチュエーションにも現代のアメリカをさかんに取り入れた。そうしなければ、黒人ヒーロー存在の意味がないからである。ここに無理があった。ティッブスという本格ミステリ世界の名探偵に現実が投影されればされるほど、その個性は奇妙にそらぞらしいものとならざるをえなかったのだ。作者も書きにくかったのだろう。ティッブス物は、どれも秀れた内容でありながら、そのキャラクターの存在し難さのゆえに、七年間にわずか三冊しか書かれていない。

# 紐育のイギリス人
## ――『わが子は殺人者』（P・クェンティン）解説

法月綸太郎

**法月綸太郎（のりづき・りんたろう、1964—）**

作家。京都大学在学中には京大推理小説研究会に所属した。処女作『密閉教室』を一九八八年に発表。以後、エラリー・クイーンにならい作家と同名の探偵を主人公にした『雪密室』『誰彼』『頼子のために』『一の悲劇』『生首に聞いてみろ』『キングを探せ』などの一連の作品を世に問うている。早くから評論にも手を染め、現代思想に発表した「初期クイーン論」などで論客ぶりを発揮している。評論の著書として『謎解きが終ったら』『法月綸太郎のミステリー塾』のシリーズがある。

初出＝パトリック・クェンティン『わが子は殺人者』創元推理文庫一九九九年／底本＝『法月綸太郎ミステリー塾　海外編　複雑な殺人芸術』講談社二〇〇七年

年季の入ったミステリファンの間ではよく知られているように、パトリック・クェンティンは、本名リチャード・W・ウェッブ（一九〇一―六六／七〇？）とヒュー・C・ウィーラー（一九一二―八七）による合作ペンネームである。二人はいずれもイギリス生まれの帰化アメリカ人で、コンビが誕生したのは一九三六年。ちなみに年長のウェッブはコンビ結成以前の三一年から、Q・パトリック名義で二人の女性と相次いで合作を試みており（ウェッブの単独作を含めて、五冊の長編がある）、ウィーラーは三番目のパートナーだったことになる。

ウェッブ＆ウィーラーはパトリック・クェンティン名義のほかに、Q・パトリックとジョナサン・スタッジの三つのペンネームを使い分け、ウェッブが体調を崩して合作コンビを解消する一九五二年までの十六年間に、合計二十五冊の長編と数多くの中短編を世に送り出した。そのうちクェンティン名義の合作長編は九作を数え、中南米を舞台にしたウールリッチ風サスペンスの佳品『追跡者』（五〇）を除くすべての作品に、演劇プロデューサーのピーター・ダルースと女優のアイリス夫妻が登場する。

ピーターとアイリスは、原題を ***Puzzle for~*** で統一した《パズル・シリーズ》の第一作『迷走パズル（癲狂院殺人事件）』（三六）で、精神科医レンツ博士の経営する療養所の患者どうし（アル中のピーターと神経衰弱のアイリス）として知り合い、退院した二人は次作『俳優パズル』（三八）でめでたく結婚する。この二作では、二人の後見人的立場にあるレンツ博士が探偵役を務め（クレイグ・ライスのマローン弁護士とジャスタス夫妻のトリオに数年先駆けている点に注意）、犯人探しをメインに据えたパズラーの要素が強いが、戦時色の濃い第三作『人形パズル（呪われた週末）』（四四）以降レンツ博士は姿を消し、本格的構成よりもサスペンスを重視した作風に転じていく。

シリーズの進行とともに、ダルース夫妻は典型的なおしどり探偵のパターンを離れて、たびたび深刻な夫婦の危機に瀕する羽目になり、終盤のタイトルからは *Puzzle for~* の文字も消えてしまう。二人が最悪の危機を迎えるのはシリーズ第八作『女郎蜘蛛（女郎ぐも）』（五二）で、アイリスがジャマイカに旅行中、パーティーで知り合った小説家志望の娘ナニーに惹かれたピーターは、彼女に自宅のフラットを仕事部屋として提供する。ところが、アイリスが帰国した当日、夫妻は自宅の寝室で首を吊っているナニーを発見。現場にはピーターとの不倫を匂わせる遺書が残されていたが、殺人課のトラント警部補（Q・パトリック名義の作品に登場する常連キャラクターで、この作品からクェンティン名義に合流する）は自殺に疑問を感じ、ピーターを追及しはじめる。アイリスにも見放され、絶体絶命の窮地に陥ったピーターは、濡れ衣を晴らし、妻の信頼を回復するために、たったひとりで事件の真相究明に乗り出すが……。天真爛漫な文学少女ナニーの恐るべき正体が徐々に浮き彫りになっていく後半の展開は、シリーズ中でも一、二を争う迫真のできばえで、長らく邦訳が絶版になっているのが惜しまれる秀作だが、この『女郎蜘蛛』を最後に、ダルース夫妻はクェンティン作品の主役の座から退き、同時にウェッブ&ウィーラーの合作時代も終わりを告げる。

ウェッブとのコンビを解消した後、ウィーラーはクェンティン名義を引き継ぎ、ひとりで作品を執筆しはじめる。その皮切りとなったのが一九五四年の『わが子は殺人者』（本書）で、さらに翌年には、戦後の代表作として名高い『二人の妻をもつ男』を発表。この二作によってクェンティンの作風は完成し、作品の水準もピークに達したといっていいだろう。参考までに同時代のアメリカ探偵小説の動向を見ておくと、五四年には『ガラスの村』（エラリー・クイーン）、『犠牲者は誰だ』（ロス・マクドナルド）、『暴力教室』（エヴァン・ハンター）などがあり、五五年には『狙った獣』（マーガレット・ミラー）、『歯と爪』（ビル・S・バリンジャー）、『最悪のとき』（ウィリアム・P・マッギヴァーン）が出ている。とりわけ「アメリカの家庭の悲劇」という主題に真正面から取り組んだ作家という意味で、この時期のクェンティンは、クイーンとロス・マク（あるいは、夫人のミラー）をつなぐ橋渡し的な役割を果たしたといってよい。

ウィーラーはその後も円熟した筆致で、コンスタントに良質の作品を刊行しつづけたが、六〇年代からは劇作家としての仕事が主となり、六五年の ***Family Skeletons***（ウィーラーの単独長編としては、七作目に当たる）を最後に、足かけ三十年に及ぶパトリック・クェンティンとしての活動に終止符を打つ。『二人の妻をもつ男』の小森収氏の解説に詳しくあるように、七〇年代にはミュージカルの脚本家として大成功を収め、七三年と七四年、七九年の三回にわたってトニー賞を受賞、本国では演劇界での名声がクェンティンの知名度を上回っているという。アメリカ探偵小説文壇は惜しい才能を舞台に奪われたことになるが、ひょっとしたらウィーラー本人にとっては、ブロードウェイでの成功こそが本望だったのかもしれない（ピーター・ダルースがそうであったように）。

＊

前置きが長くなったが、ここからが本題である。作者のプロフィールに多くの筆を費やしたのは、この『わが子は殺人者』がウィーラーにとってのソロデビューに当たる、意義深い作品であることを強調したかったからだ。心に期するものがあったのだろう、本書の行間からは、独り立ちしたウィーラーの執筆にかける新たな意気込みがヒシヒシと伝わってくる。物語の主人公兼語り手を務めるのは、シェルドン・アンド・ダルース出版会社の共同経営者ジェーク・ダルース（ピーター・ダルースの兄という設定になっている）。ジェークの妻フェリシアは三年前に原因不明の自殺を遂げ、それ以来ひとり息子ビルとの関係もギクシャクしていた。小説家志望のビルは、文学修業のためにローマに行きたいと言い出して父親を悩ませるが、ちょうどその矢先、ジェークを現在の地位に引き立ててくれた恩人であり、無二の親友でもある社長のロニイ・シェルドンが、旅行先のイギリスから無名の貧乏作家ベージル・レイトンとその家族を引き連れて帰国する。

ロニイは資産家のお坊ちゃんで、ジェークの支えがなければ会社経営もままならない人物だが、「隠れた天才」を発掘する才能があると自負しており、偏屈なイギリス人作家レイトンをアメリカの文壇に売り込んで一山当てようと画策している。しかも独身主義者だったはずのロニイは、若く美しいレイトンの娘ジェーンに一目惚れして、すでに彼女を妻に迎えたという。ロニイとは親子ほども年の離れた新妻ジェーンに会ったジェークは、漠然とした不安を覚えるが、彼の予感はまもなく最悪の形で的中する。結婚披露のパーティーで知り合ったジェーンと息子のビルが、道ならぬ恋に落ちてしまったのだ！　ジェークは若い二人の暴走をなんとか抑えようとするものの、努力も空しく、二人の関係はロニイにばれてしまう。激怒したロニイはジェークに絶交を言い渡すが、その直後、ジェークはロニイが自宅で何者かに射殺されたことを知る。現場に残された拳銃は、血気にはやったビルが持ち出したもので、状況証拠のすべてが息子の犯行を指し示しているのだった……。

ビルの無実を信じるジェークは、息子の濡れ衣を晴らし、父子の絆を取り戻すために、たったひとりで真犯人を探し出す決意を固める。前作に引きつづいて（警部に昇進した）殺人課のトラントが登場し、その修道僧めいたとらえどころのないキャラクターでダルース父子を翻弄するが、幾度も厚い壁に阻まれながら、そのつどジェークは勇気を奮い起こし、息子を救うための孤立無援の闘いを止めようとはしない。やがてその闘いの中から、妻フェリシアの自殺の真相と、ロニイを取り巻く人々、そして、親友であったロニイ自身の驚くべき素顔が明らかになっていく——こうしたプロットは、先に紹介した『女郎蜘蛛』と重なるところも多いのだが、他方、本書でジェークが置かれた立場は、『女郎蜘蛛』に代表される「巻き込まれ型」サスペンスの行き方とは決定的な一線を画している。

一口にいえば、「巻き込まれ型」サスペンスの主人公の行動のベクトルは、事件が起こる以前の秩序立った日常と安定した人間関係を回復することに向けられる。したがって、主人公に降りかかるトラブルの原因は、『女郎蜘蛛』のナニーがそうであるように、日常の「外部」から侵入してくる。だが、本書のジェーク・ダルースや『二人の妻をもつ男』のビル・ハーディングが直面させられるのは、かつての自分が属していた生活そのものが甚(はなは)だしい欺瞞の上に成り立っており、そこへ戻ることはもはや不可能だという厳しい自己認識にほかならない。なぜなら、悲劇の根は、彼らが所属する日常と秩序の「内部」に巣くっているのだから。彼らの自己回復に中途半端な妥協の入る余地がないのは、そのせいである。おのれの現在と過去をいっさい白紙に戻して、まったく新しい人間関係をゼロから再建すること。『わが子は殺人者』や『二人の妻をもつ男』が現在でも読者の胸を打つのは、そのような自己発見と再生のプロセスを、中流上層階級(アッパーミドルクラス)の成功者であった中年男性の肖像を通して、しっかりと描ききっているからだろう。

こうした主人公たちの試練は、作者であるウィーラーが直面した創作環境の変化とも無縁でないかもしれない。作家として独り立ちした彼の傍らには、長年のパートナーだったウェッブの姿はない。本書のプロットの主軸を構成するジェークとロニイの二人三脚は、次作の主人公ビル・ハーディングと彼の舅(しゅうと)である出版社社長C・Jの関係にそっくり引き継がれていくが、うがった見方をすると、こうした設定はかつて先輩格のウェッブに才能を見込まれ、合作のパートナーにスカウトされたウィーラー自身の境遇がかなり投影されているのではないだろうか。

……ロニイ・シェルドンは、大学を出たばかりの私を即座に引き立てて、シェルドン・アンド・ダルース出版会社で平等の権利をもつ共同経営者にしてくれた千万長者であるばかりでなく、私のただひとりの親友でもあった。……私がロニイ皇帝にたいして、式部長官の役割を演じていたのは、いかに彼が、そのような役割を果たす私を必要としているかを知っていたからである。（一二～一三頁）

ウェッブ&ウィーラーの合作がどのような形で行われていたか知るすべがない以上、どちらが皇帝で、どちらが式部長官の役割を演じていたのか、などと余計な穿鑿（せんさく）をしても仕方がないのだが、少なくともウェッブとのコンビを結成した当時、ウィーラーがロンドン大学を出て、アメリカに渡ってきたばかりの二十四歳の無名の文学青年だったことはまちがいない。そして、十六年に及ぶ二人三脚にピリオドを打ち、ひとりの作家として再スタート地点に立った四十代のウィーラーが、自らの過去をあらためて振り返ろうとするのはしごく当然のことだろう。本書の冒頭には、文学への情熱に取りつかれた息子の顔にかつての自分を発見して、父親のジェークが戸惑うシーンがあるが、このくだりには作者本人の懐旧的な感情がにじみ出ているような気がする。

……なにか時間の混乱から二十年の歳月がとりのぞかれ、そこが私が初めて借りたマンハッタンの家具つきの部屋であり、葦のように青っぽく、懐疑にもくじけず、頑強に、大学新聞の編集と二シーズン蹴球選手をつとめたという実績だけを頼みとして、世界を征服しようと決意しているかのようであった。（一四頁）

＊

ところで、ジェークとロニイの骨がらみの関係が、本書の縦糸を形作っているとすれば、緊密に構成された物語の横糸を織りなすのは、ベージル・レイトンという作家の異常なエゴイストぶりにほかならない。ロニイとレイトンという二人の人物造形が一対の鏡像のように浮かび上がってくる本書のラストは、まさにクェンティンの独擅場といってよいが、これに関してもうひとつ興味深いのは、レイトンとその家族が「英国直輸入」の人物群として設定されている点だろう。クェンティンの小説では、大西洋を越えてアメリカにやってきたイギリス人が、単なるお飾りのゲストにとどまらず、ストーリーを左右する重要な役割を演じることが珍しくない。これはウィーラーの単独作品に限らず、ウェッブとの合作にも共通する特徴で、最初に触れた『迷走パズル』などはその顕著な例だし、それ以外にもイギリス出身のお高くとまった女優や、ロンドンで大当たりを取った劇作家が出てこない作品を探す方がむずかしいほどである。クェンティンの作風が典型的なアメリカ風俗を扱っているだけに、かえってそういう癖が目を引く。

たぶんこの特徴は、二人の作者がイギリス出身だったことに起因すると見ていいだろう。これはちょうど、生粋(きっすい)のアメリカ人でありながら祖国以上にイギリスを愛し、イギリスでの生活が長かったジョン・ディクスン・カーと正反対のケースに当たるはずである。そうした観点からウェッブ&ウィーラーとカーの作風を比べてみたら、面白いかもしれない(ただしクェンティン名義より、Q・パトリック/ジョナサン・スタッジ名義の作品の方が、比較サンプルとしてはふさわしそうだが)。ハードボイルドの世界に目を転じれば、生まれこそアメリカ人だが、イギリスで青少年期を過ごし、すっかり英国人気質に染まって帰国したレイモンド・チャンドラーのような人もいる。フィリップ・マーロウの正体(?)がハリウッドの虚飾の中に紛れ込んだ英国人ジェントルマンだったように、クェンティンの作風も、典型的なアメリカ産探偵小説のスタイルの中へ、ひそかにイギリスの血を導入することによって産み出されたのではないだろうか。

たとえば、クェンティンは華やかな演劇界や映画界の裏面を好んで題材に選んだが、ショービジネスの世界がほかのどこよりも、英米間の人的な「交通」が盛んな場所であることはいうまでもない。あるいは、MWAの特別賞を受賞した短編集『金庫と老婆』(六一)に収められた短編には、イギリスを舞台にしたものが何編かあって、江戸川乱歩編『世界推理短編傑作集5』にも選ばれた秀作「ある殺人者の肖像(親殺しの肖像)」や第二次大戦下の全寮制の私学を舞台にした「姿を消した少年」などは、生粋のアメリカ人作家には絶対に書けない世界だろう。こうした持ち前の英国テイストが、強者ぞろいのアメリカ探偵小説界の中で、ライバルたちと一線を画する有効な武器になることを、クェンティンはよく知っていたにちがいない。

五〇年代のクェンティンの作品が、アメリカ探偵小説には稀な「文学性」を備えていると評価されたのは、おそらくそのせいもあるだろう。初期の《パズル・シリーズ》でも、ライスやウールリッチを思わせる典型的なアメリカ探偵小説のスタイルを用いながら、イギリス出身らしい折り目正しさが随所で発揮され、アメリカ人作家がしばしば陥りがちな構成の破綻を免れている。名を知られているわりに《パズル・シリーズ》が日本であまり受けなかったのは、こうしたイギリス的な秩序立った構成感覚が、破天荒なアメリカ探偵小説の中では、かえって凡庸に映ってしまったせいではないか。

『深夜の散歩』の中で、丸谷才一氏はクェンティンを評して、次のように書いている。


彼が優れた職人であることは、彼の本がどれもこれも、きちんとした構成を持っている、仕上げのよい出来ばえのものであることを見ても判るだろう。彼は瀟洒なウェル・メイド・ノヴェルの作者なのである。クェンティンの本はすべて、見事な細工物のように典雅な秩序を示しているのだ。

もちろん、彼の小説の舞台がほとんど常に中流上層の家庭であることも忘れてはならないだろう。生活は安定しているし、登場人物はかなり知的である。そういう条件があればこそ、あの秩序感は生れるのである。

（「ダブル・ベッドで読む本」）

こうした典雅な作風が、伝統的なイギリスの風俗小説の書き方を踏襲したものであることに、だれしも異論はないだろう。パトリック・クェンティンという名の「イングリッシュマン・イン・ニューヨーク」が、五〇年代アメリカ探偵小説を代表する傑作を書いたというのは、二十世紀のミステリ史を振り返るうえでも、非常に興味深い出来事である。

# 誤解された冒険小説

各務三郎

各務三郎（かがみ・さぶろう、１９３６―）

本名太田博。早川書房でミステリマガジン編集長を務めた（一九六九年八月号～七三年六月号。ちなみにこの期間に「パパイラスの舟」「黄色い部屋はいかに改装されたか？」「男たちのための寓話」などの評論が連載され、書評に瀬戸川猛資、松坂健が起用された）のち、評論家となる。著書に『ミステリ散歩』『赤い鰊のいる海』『わたしのミステリー・ノート』や、日本推理作家協会賞を得た『チャンドラー人物事典』などがある。ＥＱＭＭに「チャンドラー動・植物誌」を連載していたことからもわかるように、バードウォッチングが趣味。

初出＝東京タイムズ一九七一年八月三一日付／底本＝『ミステリ散歩』中公文庫一九八五年

一九六〇年代における海外ミステリの特徴は、スパイ小説の流行でした。特にアメリカでの流行にはすさまじいものがありました。

しかし、もう一つ、小説における大流行があったことは日本にはほとんど紹介されませんでした。それはゴシック・ロマンです。一口にいえば「古館の恐怖と美貌の女性の危機」を扱うサスペンスとロマンスの物語です。スパイ小説を男性用恐怖小説とすれば、ゴシック・ロマンは女性用恐怖小説といえましょう。作家もほとんどが女名前です。(ウェスタン小説が男名前で書かれていることと好対照ですが、それをいうと男性小説と女性小説について一章もうけなければなりませんから、このさい目をつむっていただきましょう)

といっても、ここではゴシック・ロマンではなく、イギリスのスパイ小説の大家エリック・アンブラー(一九〇九〜九八)がなぜスパイ小説らしからぬミステリを書くはめになったか？を推測してみようというわけです。

材料は、一九六三年度アメリカ探偵作家クラブ最優秀長篇賞を受賞した『真昼の翳』(一九六二)です。(ちなみに一九六二年度のイギリス推理作家協会賞は、ジョーン・フレミングの

『金持ちになったとき』で、『真昼の翳』は候補作になっただけでした）

アーサー・シンプソンは、ハイヤー運転手。ギリシアへやってくる観光客のガイドとポン引きで飯を食べている。それに、ときどきは客のスーツケースから小切手を抜きとっているといった、取るにたらぬ小悪党だ。母親はエジプト人で、父親はイギリス将校。いちおうはイギリスの高校を卒業させてもらっている。

この男、例によってカモにしたつもりで、得体のしれぬ観光客からトラベラーズ・チェックを盗みとったが、これが罠。さんざ痛めつけられたあげく、警察に通報すると脅かされる。飯が食えなくなると哀願し、代償として、リンカーン車をアテネからトルコのイスタンブールへ一人で陸送するはめになる。

ところが、トルコ国境の警備兵にあやしまれ、検査された結果、匿し場所から機関銃や手榴弾が発見される。軍事政権下にあるトルコ官憲は、武器密輸者として逮捕、スパイあつかいをされて仰天したアーサーは、それまでのいきさつを白状するが、今度はトルコ側のスパイとして働け、と命令される……といったすべりだし。

読者は、アンブラーらしいスパイ小説『あるスパイへの墓碑銘』『ディミトリオスの棺』などを思いだしながら、ワクワクして読んでゆきます。

ところが、三分の二あたりから調子が変わってきて、あれあれと思っているうちに、トルコの宮殿から美術品を盗みだす話に化けてしまいます。

見方によってはこんなに首尾一貫しないミステリは珍しい。こんなばかげたスパイ小説がなぜエドガーズをもらったんだろうか？　といって憤慨したエスピオナージュ好きがいました。

こんな誤解は珍しいことではありません。ノエル・ベーンの『シャドウボクサー』を、「ばかばかしくて腹がたった」スパイ小説と断じた某評論家の例もあります。もっとも、出版社のほうでは、スパイ小説が売れれば、冒険小説をスパイ小説と銘打って売ることくらい常識ですし、ひどい例ならSFとして売ってもさしつかえないわけです。

ところで、この『真昼の翳』が泥棒のお話になっても何ら不思議がない理由をいいましょう。アンブラーはもともとスパイ小説を書くつもりがなかったのです。こんな風にいえば身もふたもない言いかたですが、彼は、現代風恐怖小説となってしまったスパイ小説を一度自分の手で、ひねりをきかせた冒険小説にもどしてみようと試みただけにすぎません。グレアム・グリーンみたいに『ハバナの男』のなかで、電気掃除機（だったかな？）の設計図を東側の秘密兵器らしく見せかければ、たちまちスパイ小説のファルスだと読者はさとるでしょうが、アンブラーみたいに書くと、はてな？　と思われてしまうのです。

つまり、その当時から活躍しだしたハモンド・イネス、アリステア・マクリーンなどの伝統的な、真正面から描く冒険小説ではなく、イァン・フレミングの英雄幻想譚や特にライオネル・デヴィッドスンあたりを意識しての冒険小説だったわけです。原題の『日の光』に、日蔭者の主人公とエーゲ海のまばゆい太陽のオーヴァラップを読みとった読者なら、作者の張った伏線の楽しさを見抜いたことでしょう。映画化された『トプカピ』をごらんになったかたなら、原作が冒険小説であることを、こんなにくどくど書かなくてもよくおわかりになっているはずです。

# アイ・スパイ！

各務三郎

初出＝エリック・アンブラー『真昼の翳』ハヤカワミステリ文庫一九七六年／底本『赤い鰊のいる海　現代推理小説入門』読売新聞社一九七七年

もともとスパイ・スリラーは冒険小説の範疇に属する読み物だろうが、いつのまにか現代風な恐怖小説に変ってしまった。おそらくモームの『アシェンデン』（一九二八）あたりがその元凶。当時の険悪な世界状勢下にあってヨーロッパ諸国の各都市はいつなんどき戦場になるかわかったものじゃなかったから、敵のスパイが隣りの葬儀屋の禿げオヤジだったとしても「そういえば公園であやしい男とひそひそ話しているのを見かけたことがあったぜ」と片づけられてもふしぎはなかった。

それを考えれば、ロシア革命前夜に伝統的冒険小説を書いていたオッペンハイムや後続のバカン、サッパーなどは時代の趨勢にうとかったといわれても、その点では申しひらきは立たなかったろう。

エリック・アンブラーも批判的だった一人である。ロンドン大学を卒業後、コピー・ライター稼業に精を出しながら道楽に芝居の台本を書いていた彼はこう考えた。「ブルドッグ・ドラモンドもの（サッパー）の『黒いギャング』に登場するヒーローは黒シャツ姿で革命主義者やユダヤ人たちをこらしめてまわっていたが、作者はそれを肯定的に描いている」。アンブラーはモームについては口をつぐんでいるが、とにかくバカンやサッパーを読んで「このジャンルを自分の筆先で方向転換させてやろう」と思ったわけである。

その後のアンブラーの活躍は『あるスパイへの墓碑銘』（一九三八）、『ディミトリオスの棺』（一九三九）から『インターコムの陰謀』（一九六九）まで、ディテールにすぐれた〈一市民Vs陰謀〉テーマのスパイ・スリラーを読めば世評の高さもうなずける。『武器の道』（一九五九）、『レヴァント人』（一九七二）と二度にわたりイギリス推理作家協会賞を受賞したのもよくわかる。

ところが一九六三年度アメリカ探偵作家クラブ最優秀長篇賞を受賞した『真昼の翳』（一九六二）だけはおもむきがちがう。すこし長いが以前発表した文章を引用してみる。

「……アンブラーはもともとスパイ小説を書くつもりがなかったのです。こんな風にいえば身もふたもない言いかたですが、彼は、現代風恐怖小説となってしまったスパイ小説を一度自分の手で、ひねりをきかせた冒険小説にもどしてみようと試みただけにすぎません。グレアム・グリーンみたいに『ハバナの男』のなかで、電気掃除機（だったかな?）の設計図を東側の秘密兵器らしく見せかければ、たちまちスパイ小説のファルスだと読者はさとるでしょうが、アンブラーみたいに書くと、はてな?　と思われてしまうのです。

つまり、その当時から活躍しだしたハモンド・イネス、アリステア・マクリーンなどの伝統的な、真正面から描く冒険小説ではなく、イァン・フレミングの英雄幻想譚や特にライオネル・デヴィッドスンあたりを意識しての冒険小説だったわけです。原題の『日の光』に、日蔭者の主人公とエーゲ海のまばゆい太陽のオーヴァラップを読みとった読者なら、作者の張った伏線の楽しさを見抜いたことでしょう。映画化された『トプカピ』をごらんになったかたなら、原作が冒険小説であることを、こんなにくどく書かなくてもよくおわかりになっているはずです」

ここで伝統的イギリス冒険小説の内側をのぞいてみると——十六、七世紀の重商主義から生れた植民地主義が冒険小説を助長した。(わが国で、探偵小説雑誌として知られる『新青年』も当初は外地雄飛を志す青年向けの雑誌だった。)イギリスの階級社会が冒険小説を歓迎した。ジェントルマン(上流階級)だけが冒険に乗りだす金と時間があり、彼らの世界だけに通用するヒューマニズムへの信頼感と国家への忠誠心が社会力学的に承認されていた。トニ・マイエールの『イギリス人の生活』から孫引きすれば、「百年前には、いとも簡単明瞭であった。すなわち金持と貧乏人しかいなかったのである。《一方の連中は他方の連中の習慣も、思想も感情も知らないこと、まるで両者は二つの異なった遊星に住んでいるかのようであった》と、ディズレリイは一八四五年に書いていた。そしておよそ一世紀後にも、ジョージ・オーウェルは断言していた、《イギリスでは個人のひとりびとりがその着物の着方と、物腰と、アクセントによって、どんな地位の者であるかがわかる》」らしい。第二次大戦後の静かなる革命によって貴族階級の没落がはやされるようになったとはいえ、たとえばクリスティー家に招待されたクリスティー・マニアの数藤康雄さんが旦那のマローワン教授から、なにゆえ貴家は三代にわたり職業を異にされるや？　と質問されることもあるのだ。

　スポーツとてジェントルマン階級のもの。時代に即していえば、トトカルチョあるがゆえに大衆が熱狂するプロ・サッカーはスポーツにあらず、馬術やクリケットなどこそ、ということになる。アマチュアリズムの名においてフェアプレイ精神が称揚されるのも、みんなジェントルマンのあいだだけの信頼感がある（汚ないことをすると評判が落ちる！）からだ。オリンピックでのアマチュア規定に固執した故ブランデージはむろん貴族だった。ひょっとすると天皇杯・三笠宮杯がある日本のスポーツ界はジェントルマン階級のものかもしれない。

　とはいえ、克己心にあふれる好青年が波乱万丈の冒険行のすえみごと目的を達するあざやかな物語は、そんなこととは無関係に胸をおどらせてくれる。

　無関係ならなぜ理屈をひねくりまわすのだときかれると赤面せざるを得ないが、実は引用部分について前言訂正を大っぴらにやってしまいたかったからである。

『真昼の翳』の主人公アーサー・シンプソンは、英国人将校の父とエジプト婦人を母に持つ血統正しからざる中年男。ジャーナリストを自称するが、じつは観光客相手の職業運転手で食うためにはポン引きもやる。逮捕歴もあり、そのためにイギリス、エジプト両国からパスポート交付も拒否されている無国籍者――いうなれば、ジェントルマンとは対照的に法律上すらアイデンティティを奪われているケチな男。となれば美貌の青年レオ・ヴィンシーやジェントルマンの俗物根性に愛想つかしをしてロマンティックな冒険に乗りだすハネイ君の境界どころのさわぎではない。

トルコ官憲から追い使われ、カルル・ハーパーにアゴでこき使われ、せめてもの腹いせに小悪党フィッシャーの足を引っぱることばかり考えている高所恐怖症の中年男シンプソンとあれば、逆さに吊して振ったところで冒険心のしずくだって垂れてきやしない。

おわかりだろう。『真昼の翳』は冒険小説のファルスなのであり、さらにスパイ小説のファルスになっているのである（小道具の機関銃や手榴弾の最終的使用目的！）。そう気づいたとたんに、「いうまでもないことだが、イギリスにおけるパブリック・スクール教育の主な目的は、人格の陶冶にあって、少年たちに、フェアプレイの精神と、健全な判断力を植えつけ、世の荒波にたえる力をつちかい、紳士たるものの態度と言動を教えることにある」とまじめくさった述懐をもらしつつ「コーラム・グラマー・スクールも、すくなくとも、これらのことを仕込んでくれた。ふりかえってみて、たしかにそれは、感謝にたえないしだいである」とポルノ商売に手を出したおかげで前科者になったシンプソンは語りかける。

篇中いたるところに爆弾をしかけておいて、いつ破裂するかな？　とほくそ笑んでいるアンブラーの顔が浮かんできてじつにいまいましい。岡井隆（おかいたかし）の〈text の讀み淺かりし口惜しさの蝶逐いつめており水際まで〉という気持に傾こうというもの。ヤクザなシンプソンなみに怪文書をばらまいて名声をおとしめてやりたくなってくる。

なんとなくひっかかりを感じながらもわたしは、『真昼の翳』を正統冒険小説のヴァリエーションと受けとめていたんだ！　そういえば、処女長篇『暗い国境線』すら、「中途までパロディ仕立てにしていたんだが」というアンブラー自身の言葉まであったではないか。

それでも今回あらためて読み直しながら、はじめからクスクス笑い通しだったことがせめてもの慰め。捨てゼリフになにかないかな――ままよ大時代に〈その手裏剣二度目はきかぬ！〉

# 不信のヒーロー

北上次郎

北上次郎（きたがみ・じろう、１９４６―２０２３）

本名の目黒考二では本の雑誌の発行人として知られている。同誌および小説推理での二〇年を超える書評の連載は、冒険小説、ハードボイルドを中心とした、日本の娯楽小説の同時代史とも言えるものになっている。著書には小説推理の書評をまとめた『冒険小説の時代』や、世界の冒険小説の歴史的展開をあとづけ、日本推理作家協会賞を受賞した『冒険小説論』など多数ある。本編はその『冒険小説論』から採った。イアン・フレミングとディック・フランシスという、冒険小説史上無視することのできないふたりの作家についての論考である。

初出＝ミステリマガジン一九八八年九月号／底本＝『冒険小説論　近代ヒーロー像一〇〇年の変遷』創元推理文庫二〇二四年

ジェイムズ・ボンドが冷戦下のヒーローとして生れたことは、シリーズ第一作『カジノ・ロワイヤル』が一九五三年に発表されたことや、その時の相手がソ連秘密組織スメルシュの資金係ル・シッフルであることなどから明らかである。だがもしこの男が最後までそういう存在であったなら、おそらく〝戦後最大のヒーロー〟（スクリーンの影響が多分にあるが、人口に膾炙するという点でボンドに匹敵するヒーローはいない）とはならなかったにちがいない。

始まりは一九五七年に書かれたシリーズ第五作『ロシアから愛をこめて』である。このラストシーンはソ連国家保安省ローザ・クレッブ大佐の靴先から細いナイフがとび出て、ボンドのふくらはぎを傷つける場面だ。ボンドが床にくずれ落ちていくシーンで、この物語は唐突に終っている。途中の章の終りではない。それがこの物語の末尾である。あるいはシリーズものであるから、次の作品に読者の興味をつなぐためのテクニックだ、と言えるかもしれない。しかしこの不吉な場面は、結果としてその後のジェイムズ・ボンドの幕開けとなった。ではこの作品をきっかけにボンドはどう変ったのか。この物語の途中には、相棒に殺された敵の死体を見て「こんなことばかり見てなければならない人生」にボンドが一瞬恨みを覚えるシーンがある。

このようなシーンは、それ以前にない。これは何を意味するのだろう。

たとえば、シリーズ第六作『ドクター・ノオ』（一九五八年）は、英国秘密情報部長Mが神経学者のジェイムズ・モロニー卿に電話をかけるシーンから幕が開く。ローザ・クレッブ大佐のナイフに中枢神経を麻痺させるフグの毒が塗ってあり、ボンドはしばらく入院することになるのだが、「あの男は仕事に使えるかな」と尋ねるMに、肉体的には大丈夫だが、ひどい緊張状態が続いているので精神的に疲れている、とモロニー卿が答えるシーンである。つまり、第一作『カジノ・ロワイヤル』から第四作『ダイヤモンドは永遠に』（一九五六年）までの屈託のないヒーローは『ロシアから愛をこめて』の中で死に、『ドクター・ノオ』で蘇生したのは病んだヒーローなのだ。

この一作だけのことではない。第七作『ゴールドフィンガー』（一九五九年）の幕開きも、「外科医のような冷たい心で死と対決するのは義務である」とわかっていながら、悪党を殺したことにこだわっているシーンであるし、第八作『サンダーボール作戦』（一九六一年）でも、モロニー卿がボンドの健康状態はよくないとMに再び進言するのが冒頭である。酒と煙草の摂取量が多すぎて高血圧気味であるし、本人も後頭部の頭痛を訴え、しかもそれらが明らかに悪化している徴候がある、というのだ。第六作『ドクター・ノオ』以降、冒頭に必ずこういう設定を入れるようになったのはなぜか。

第十作『女王陛下の007号』（一九六三年）の冒頭はなんとボンドが辞表の文章を考えるシーンである。この辞表には退屈な任務についていることの不満というニュアンスもあるが、病んだヒーローの側面がこれだけ強調されたあとでは、そう素直にも受け取れない。第十一作『007は二度死ぬ』（一九六四年）の冒頭に、ボンドがあらゆる情熱をなくした理由は、前作のラストで新妻を殺されたことのショックに起因する、と説明されてはいるが、はたしてそれだけなのか。『ロシアから愛をこめて』以降に浮上したボンドのこういう変化が意味するのは、情報部員であることの拒否という一点だろう。そう考えなければ、このしつこさは解けない。

シリーズ第一作『カジノ・ロワイヤル』の中に、ボンドがこの作品の相棒マチスに辞意をもらす件りがある。悪党ル・シッフルがスメルシュの処刑人に殺されたあとのシーンだ。ボンドは言う。「現在われわれは、共産主義と戦っている。それはいい。しかし、もう五十年前に生きてたら、いまわれわれが保守主義ときめつける連中も、共産主義に近いものと見られていて、われわれはそいつらと戦えといわれたかもしれないんだ。近ごろでは歴史の動きはとても早くて、英雄と悪ものもたえず立場を変えているよ」（井上一夫訳）

まだ終ったわけではない、スメルシュは今後も自分たちの政治組織に反対する人間を殺しまくるだろう、あいつらをどうするのだ、とマチスに言われたボンドはなおも答える。

「私的な復讐ということを別にして考えると、何か高級な道徳的理由とか、祖国のためという理由からでは、そういう具合にやれるかどうか自信はない」

ボンドはなんと最初から女王陛下や国家のために闘うヒーローではなかったのだ。もちろん、この作品では結局マチスの言う通りだと考え直し、ボンドが新たなる闘いの決意を固めていくのだが、ジェイムズ・ボンドというヒーローの原型が、国家のために闘うエージェント・ヒーローを否定するところから出発したことに留意したい。『ロシアから愛をこめて』を契機に徐々に変身するボンドの核は、ここにこそあるようだ。イァン・フレミングの007シリーズは、美女と拷問と観光地という典型的な道具立てを駆使した冒険小説だが、大ダコやサソリなどの道具立てに目を奪われていると、この作品群の本質が読みとりにくい。

作者であるイァン・フレミングはその「スリラー小説作法」の中で、『カジノ・ロワイヤル』のボンド暗殺未遂事件や賭博の場面が現実のエピソードに基づいていることを明らかにしているが、その他でも車や銃の描写など、リアリティ獲得のために細部にまで神経を使っていることがうかがえる（フレミングの小説は往々にしてそういう描写のあやまりを指摘されるが、だからといって作者がその描写に無神経であるとは限らない）。アクション場面についてもイァン・フレミングはさりげなく挿入する。『女王陛下の007号』は明らかに視覚メディアを意識した大型アクション活劇だが、初期作品にみられるアクションはアイデアを核にしたものが多く、それが物語の中に自然に溶け込んでいる。さらに、キングズリイ・エイミスも指摘しているが、『カジノ・ロワイヤル』や『ムーンレイカー』のカードゲーム場面の緊迫感も見逃がせない。フレミングはこういう細部の描写が実にうまい。

そのために背景の陳腐さ（あるいは空想的すぎるプロット）を読者はつい忘れてしまう。第五作『ロシアから愛をこめて』までの相手がソ連の秘密組織スメルシュであったのにくらべ、第六作『ドクター・ノオ』以降、ゴールドフィンガー、ブロフェルドなど個性的な悪党を相手にしていくのは、おそらく冷戦からデタントに移行した時代の変化が背景にあるのだろうが

(フレミングの遺作『黄金の銃をもつ男』は再びソ連保安部の手先と闘うとの設定だが)、資金係とかダイヤモンド密輸犯などスメルシュを相手にするといっても、初期作品でボンドが実際に闘う相手は、ちゃちな悪党が多い。例外はロンドンをロケットで抹殺しようとする誇大妄想狂のドラックスが登場する『ムーンレイカー』のみ。後半、このドラックスの系譜につながるドクター・ノオ、ゴールドフィンガー、ブロフェルドなどの〝狂人〟を相手にするようになると、陳腐さがなくなる代りに今度は途端にファンタスチックになる。つまり、どちらにしてもこのシリーズの背景はやや説得力に欠けるのである(唯一、背景にリアリティのある作品は、スメルシュの復讐計画を描く『ロシアから愛をこめて』だろう)。ところが、登場人物の設定や具体的な行動の描写が巧みなので、そのことに気付く前に大半の物語は終っている。フレミングの勝利だ。

しかし現代エンターテインメントとしてのボンド冒険譚の長所を、こういうふうに物語の表層から列記するだけでは、このシリーズの本質は解けそうもない。もう少し違う角度からこのシリーズに近づいたほうがいい。ボンドに友人が少ないのはどうしてなのか、というように。

相棒的な存在は各作品に登場する。『ロシアから愛をこめて』のダーコ・ケリム。『ドクター・ノオ』のクォール。『女王陛下の007号』のマルク・アンジュ。シリーズ共通のキャラクターも、冷酷非情なMの他に、断続的に登場するフランス参謀本部のマチスや、CIAの局員でのちにピンカートン探偵社につとめるフェリックス・レイターなどがいる。これらの中で唯一友人扱いされているのはレイターだろうが、特異なのは『ドクター・ノオ』でクォールが射殺された時にボンドが「すまない」とつぶやくだけの件りだ。ラストで彼のことを思い出すシーンはあるが、どうもこの男には友人に対するこまやかな情というものが根本的に欠けているように見受けられる。それは十一歳の時に両親をなくして天涯孤独の身の上であり、そもそも愛情の交流を知らずに育ったというボンドの設定も関係しているのかもしれない。

こういう主人公の性格はたとえば女性関係にも現れている。ボンドは必ず美女と恋におちるが、その大半はその場かぎりの欲望の表出にすぎない。その中でも『カジノ・ロワイヤル』でヴェスパー・リンドを許さなかった偏狭さと、『ロシアから愛をこめて』のタチアナ・ロマノーヴァをあっさり忘れてしまう身勝手さが、彼の性格を浮き彫りしている。『女王陛下の007号』でトレーシーと結婚するが、これはボンドが自信喪失していたからで、トレーシーとヴェスパー（ボンドは彼女に結婚を申し込んでいる）の差はほとんどない。前述したように『007は二度死ぬ』において、彼が死んだように生きているのは愛妻トレーシーを失ったからではなく、諜報部員であることの鬱屈が彼を押しつぶしたからだ。トレーシーの死は、そのきっかけにすぎない。

ここでジェイムズ・ボンドが戦後最大のヒーローになったのはなぜか、という最初の設問に戻ることが出来る。

ボンドは国家やイデオロギーを信じないヒーローであるばかりでなく、友や恋人すら信じることの出来ないヒーローなのだ。彼は信じるものを何ひとつ持たない不信のヒーローである。騎士道という規範をまず失い、次に国家という基盤すらも失いながら、それでも生き続けなければならない戦後の読者大衆にとって、ジェイムズ・ボンドは自らを映す鏡だった、とも言えるのではないか。

そういう不信の旋律が007シリーズの底流として色濃く流れているからこそ、ボンドは我々の意識下の共感と喝采を浴びたのである。

# フランシスの復活

北上次郎

初出＝ミステリマガジン一九九〇年二月号／底本＝『冒険小説論　近代ヒーロー像一〇〇年の変遷』創元推理文庫二〇二四年

情報小説が席巻していた一九七〇年代に敢然と終わりを告げたのは、イギリスのディック・フランシスだった。

ディック・フランシスは一貫して競馬に材を得た作品を書き続けている。主人公は騎手だったり、牧場主だったり、競馬記者だったりするが、物語はいつも競馬界に何らかの関わりを持っている。フランシスは騎手出身作家なので、熟知した世界を描いたのだろうが、それがフランシスの作品に競馬小説という枠組みを与え、結果として特殊なジャンルであるとの先入観をもたらしている。しかし、フランシスの作品がイギリス冒険小説であることは一読すれば明らかだ。

クレイグ・トーマスの章で、戦後のイギリス冒険小説作家を、①自然と闘う男を描く古典派、②ストーリーやキャラクターを優先する物語派、③その折衷派、の三タイプに分けたが、実はトーマス同様にディック・フランシスもこの便宜上の分類に入らない。トーマスの場合は出自が異なるためだが、ではフランシスの場合はなぜか。この分類は戦後イギリス冒険小説を物語の形態で分けたものだが、そういう基準で分けるとフランシスはどこにも入らない。なぜなら、フランシスの作品は物語の衣装ではなく、冒険小説の核そのものにこだわることで、見事な冒険小説になっているからだ。核とはすなわち、男の誇りと勇気とストイシズムである。これこそがフランシスの決定的な新しさなのだが、同時にフランシスの限界でもあったことをまず銘記しておきたい。

注目すべきはフランシスの小説に自然が舞台として登場することがほとんどないことだろう。マクリーン、ヒギンズ、ライアルたちの戦後イギリス冒険小説はたしかに新しかった。しかし彼らも古典的なイギリス型冒険小説の舞台である〝自然〟を作品のどこかに引きずっている。ところがフランシスは大半の作品において、その自然を完全に断ち切っている。さらに、フランシスの書く小説は戦争ものでもなければ、現代の諜報戦でもないのだ（一九六六年『飛越』、一九六七年『血統』という例外はあるが、これは当時がスパイ小説の時代だったからだろう）。その意味ではフランシスの登場を待って現代冒険小説は開幕した、といえるのかもしれない。

ではフランシスの冒険小説はどういう構造なのか。デビュー作『本命』（一九六二年）よりも、第二作『度胸』（一九六四年）のほうに、フランシスの特徴がよく出ているのでまずこれをテキストにしたい。この小説の主人公は騎手。新米騎手がレースを勝つことの充実感、騎手仲間を襲うアクシデントをめぐる謎、そしてラブ・ロマンス。どれをとっても描写がみずみずしく、その躍動感は初期作品の中でも群を抜いている。しかし、この小説がフランシスの原型であるのは、主人公の設定だろう。彼は音楽家の家に生れながら、一族の中で彼だけ音楽的才能がなく、騎手になったとの設定なのである。すなわち家庭から疎外されているのだ。この疎外感、特に〝父親不在〟はフランシス作品を貫く重要なキーワードである。

　父親と対立していたり、愛情の交流がなかったり、天涯孤独の身であったり、とフランシスの作品には父親喪失のドラマが多く、例外のほうが数えられるほど少ない。フランシスはしつこいほどこのパターンを守り続けている。これは一体何なのか。

　それは、フランシスが作品の主人公に与えた深い失速感だろう。冒険小説は男の復権の物語という側面を持っている。挫折し、何かを失った地点から男が立ち上がってくる姿を、冒険小説はヒーロー再生物語として描く。物語の形態ではなく、核としてそういう要素を持つことが多い。自然や戦争や、そして諜報戦が背景になった冒険小説ならば、その核がやや見えにくくても、衣装がそのままヒーローの活躍する舞台となるので問題はないが、そういう衣装を持たないフランシスの場合は、ヒーロー物語である基盤を何らかの形で主人公に与えざるを得ない。失速感の強調はその意味で理解される。もちろん『度胸』において女友達に去られるというように、他の喪失感も付随物としていろいろ付けるが、繰り返し登場する〝父親不在〟こそ、フランシスが用意した最大の趣向である。

　そして『度胸』がフランシスの原型であるのはもうひとつ、闘うべき敵は脆弱な自己であるとの視点がすでにこの作品にあることだ。すなわち、度胸喪失の苦悩から主人公がいかに這い上がるか、という過程が物語の重要なポイントになっている。

　この深化が第四作『大穴』（一九六五年）だ。『度胸』が肉体的危機はあるものの、どちらかといえば誇りや勇気、そういう精神の闘いであるのに比べ、こちらは肉体が核となっている。

元チャンピオン・ジョッキーが過去を引きずって死んだように生きているとの設定で幕を開けるこの小説は、二週間の冒険を通して主人公シッド・ハレーが自己を解放するまでの力強い物語である。それは幾多の冒険小説がそうであるように、心の鬱屈(うっくつ)を抜け出る闘いではある。だが、クライマックスの拷問シーンに見るように、『度胸』より肉体の色調がはるかに濃い。この『大穴』の主人公シッド・ハレーが『利腕』で復活した最大の理由はここにこそある。

問題はこの『大穴』を最後にフランシスの作品から緊張感が失われていったことだろう。第五作『飛越』、第六作『血統』はまだ読めるものの、第七作『罰金』(一九六八年)から空回りしはじめる。このあたりからフランシスの小説はストーリー色の濃い物語になっていくのだ。たとえば第十作『骨折』(一九七一年)は構造的には『度胸』に酷似している。主人公も敵対する相手もともに不肖の息子であり、敵対しながらも理解しあえるという関係である。だが、第八作『査問』(一九六九年)、第九作『混戦』(一九七〇年)、第十一作『煙幕』(一九七一年)、第十二作『暴走』(一九七三年)がそうであるように、図式化だけが先走り、せっかくの趣向も活きていない。そこに展開するのは虚しい物語だ。一九七〇年代がアンチ・ヒーローの時代であったことを想起すれば、この間のフランシスの悪戦苦闘も理解できる。ヒーローが生きにくい時代だったのである。『罰金』以降のフランシスの空転はアンチ・ヒーローの闊歩する時代にヒーロー小説を書く困難さを伝えている。

しかし、その空転の真の原因は、冒険小説を〝男の誇りと勇気とストイシズム〟という核そのもので書こうとしたフランシスの方法論にあったのではないか。たしかに、自然を離れ、戦争を背景とせず、しかも諜報戦とも無縁な物語は新鮮だった。イギリス冒険小説の新しい波ということでいえば、五〇年代のマクリーンがいるが、冒険者を貴族から解き放ち、庶民の冒険譚を書いたマクリーン作品は戦後冒険小説の開幕を告げたものの、まだ特異な状況設定を必要とした。それは死と向い合わせの極限であったり、酷寒の地であったりした。だが、六〇年代のフランシスは普通の日常の中にも冒険があることを鮮やかに描いたのだ。この発想の転換は驚くほど新鮮だったといっていい。しかし、特殊な状況設定を必要としないぶんだけ、男の誇りと勇気とストイシズムを行間から伝えるために、ストーリーに凝らざるを得なくなる。それは当然だろう。衣装に凝らず、核そのものにこだわる作家なのだ。酷寒の地や凶暴な海、さらには極限の戦地など、特殊な舞台を用意せずに、その核を伝えるからにはそうせざるを得ない。そうでなければ、ただのメッセージにすぎない。父親喪失の背景に主人公の鬱屈を重ね合わせ、そこから立ち上がってくるドラマをいかにストーリーに溶け込ませるか。それが最初からフランシスの課題であった。すなわち、ストーリー色が濃い物語になっていく危惧は最初からあったのである。

かくて七〇年代のフランシスは意図だけが先走る空虚な物語を書き続けることになる。第十三作『転倒』（一九七四年）、第十四作『重賞』（一九七五年）、第十六作『障害』（一九七七年）と、惜しい作品もあるが、総じてこの間のフランシスは空回りしているといっていい。しかし、この間、悪戦苦闘していたからこそ、第十八作『利腕』（一九七九年）にたどりつく。これはフランシス復活を告げる作品である。『大穴』の主人公シッド・ハレーが再登場する小説だが、テーマはなんと〝男の恐怖心〟。闘うべき敵は脆弱な自己であるとの視点は『度胸』にすでにあったが、その線を一歩進めて、敵は自分の体の裡にひそむ恐怖心であるという発想は実に新鮮だった。この時期、闘うべき敵を見失っていた冒険小説（だからこそ情報小説が席巻していた）にとっても、これは有効な答えであり、コロンブスの卵である。フランシスはこのあと、『名門』（一九八二年）という『利腕』の裏返し作品を書き（逆の矢印は成り立たないからこれは勘違いである）、あるいは自分の作品について理解していないのではないかと思わせたが、その後『奪回』（一九八三年）、『証拠』（一九八四年）という〝恐怖心三部作〟を書き、肉体の恐怖を精神がいかに克服するか、そのドラマを見事に描き出した。

もっとも、八〇年代後半の『侵入』『連闘』『黄金』『横断』を読むと、作者の興味は徐々に冒険から離れ、謎解きに向っているようで、もはや昔日のフランシスではないが、一九七九年に『利腕』を書いたということだけで、ディック・フランシスはイギリス冒険小説史上に残り続けている。

『利腕』が七〇年代の末に書かれたことは、象徴的であるように思える。それは来たるべき八〇年代への見事な予感だった。冒険者の闘う敵は巨大な諜報組織ではなく、悪意に満ちた自然でもなく、実は弱音を吐く自己の肉体であるとの視点は八〇年代の新たな冒険小説の行くべきひとつの道を示唆していた。それは決して現代冒険小説のゴールではないが、七〇年代の袋小路を打破する記念すべき作品ではあった。『利腕』は敵の明確な輪郭が見えず、ヒーローが闘うべき相手を見失っていた七〇年代に颯爽（さっそう）と別れを告げる作品だったといっていいのである。

# 女嫌いの系譜、又は禁欲的ヒーロー論

石上三登志

石上三登志（いしがみ・みつとし、１９３９―２０１２）

本業のＣＦディレクターのかたわら、映画を中心とした評論活動を行う。著書に『キング・コングは死んだ』『手塚治虫の奇妙な世界』『名探偵たちのユートピア』『私の映画史』などがある。『男たちのための寓話』はミステリマガジン一九七一年十一月号から一年間にわたって連載されたものが、ベースになっている。謎解きミステリ、冒険小説、ハードボイルドから、ＳＦ、喜劇、ホラーにいたるまで、エンターテインメントのあらゆるジャンルを、ヒーローの物語として見直すという作業は、いまなお読む者に新鮮な視点を与えてくれる。紙数の制約上、ハードボイルドミステリの章のみを収めたが、復刊の待たれる一冊である。

初出＝ミステリマガジン一九七二年五月号／底本＝『ミステリよりおもしろい　ベスト・ミステリ論18』宝島社新書二〇〇〇年

## 1 ロス・マクドナルドの母親たち

ヒーローの物語とは、自らの母胎回帰願望を打破するための、僕ら自身の寓話であり神話である。では一体、この願望にこだわったまま、精神的に自立し得ずに成人した男とは、現実にはどんな連中なのか。つまり、およそヒーローではない男とは何なのか。

彼は、無意識のうちに母を求め、母こそが唯一無二の異性であると考えるがゆえに、すべての女に不満しか見出せない。彼は、母との禁欲的な二人暮しを至上と考え、たとえ意識では彼女に抵抗したり憎んだりしたところで、その実彼女の元から離れようとはしない。彼は、母への義理だてゆえの禁欲を、同性愛の中に昇華させる。あるいは、女にくらべ男の方が素晴しい存在だなどといい、無意識に同性愛を志向する。そのため彼は、妻を含むすべての女を軽蔑し、あるいは徹底的に憎悪する。そして、母を愛する以上自分は子供であるはずだという無意識の納得が、彼をいつまでも幼児性欲の中に閉じ込め、たとえ結婚してもその結果主として自分の娘に異常な愛をそそぐ。

実は、こんなまるで駄目な男の行為は、すべて無意識の衝動によるがゆえに、僕ら自身の心の中にも様々な姿で存在し得る。およそあらゆる逃避心理の原型がここにあり、それはそのやましさゆえに、たくみな言い訳のマスクをかぶり、その結果身勝手な自己主張にすり替えられる。逃避から出発した様々な夢想世界の中に、本物のヒーローを発見せねばならない意味はここにある。ヒーローが理性的でなければならない理由はここにある。そして、僕ら自身がヒーローたる努力をせねばならない義務はここにあるのである。

なぜなら、ヒーローではない彼に異常なまでに愛された娘（エレクトラ）は、当然ながら父親固着（エレクトラ・コンプレックス）の女となり、父こそを唯一無二の異性と考えるからである。彼女はそれゆえに、あらゆる男に不満しか見出せず、その出口なき欲求を自分の息子（エディプス）に逆流させる。そしてここにこそ、再び母親固着（エディプス・コンプレックス）の男、ヒーローではない駄目な男が生れるからである。

1963年、俗に正統派ハードボイルド・ミステリ作家といわれるロス・マクドナルドが、長編『さむけ』で指摘した犯罪世界こそは、このエディプス＝エレクトラ心理の典型である。そしてこれこそが、ハードボイルドと呼ばれる作風の、核心だったのである。（以下、僕はミステリ界のタブーを無視して、再び犯人論を行う。謎を至上とし、パズル性にこだわる読者は、ハメット、チャンドラー、マクドナルドの長編をお読みになってから後を続けて下さい）

この『さむけ』には、一人の典型的な母親固着の男と、一人の典型的な父親固着の女が登場する。この男ロイ・ブラドショウは、母ほども年齢の違う女と結婚し、彼女を憎みながらもそこから離れられない夫である。そして彼の妻レティシャは、夫を息子のごとく所有するため、彼の母親である事を装って永い事暮してきたのである。このブラドショウ夫人、はたから見ればロイの母、ロイから見れば彼の妻である。このグロテスクな関係は、レティシャの続ける犯罪でさらにその醜悪さを暴露してゆくのである。彼女の犯罪とは、夫に近づく女たちを殺す事、そしてこの二人の逃避世界を現実の干渉からひたかくす事である。これは、探偵小説史上かつてない、見事な一人二役トリックであり、そして現実には前述したように複雑怪奇であるエディプス＝エレクトラ関係の見事な集約だったのである。

このグロテスクな母親又は母親役の女と、そこからのがれられない息子又は息子役の問題こそは、マクドナルドが近年追跡してやまなかった一大テーマである。マクドナルド作品のヒーローたる、私立探偵リュウ・アーチャーは、常にここに向って犯罪をたどっていたのである。

例えば1961年の『ウィチャリー家の女』では、彼は色情狂のキャサリン・ウィチャリー夫人の姿に、グロテスクな母性を見出した。1962年の『縞模様の霊柩車』では、そんな母にしか愛を感じない男マーク・ブラックウェル大佐を追求し、その彼に偏愛された娘こそがグロテスクな母性の出発点である事をつきとめた。

1964年の『ドルの向う側』では、父親を偏愛するがゆえに、夫との性行為を罪悪視するエレイン・ヒルマン夫人を登場させ、その彼女の悲劇をたどって行った。

1966年の『ブラック・マネー』では、父親を偏愛する娘ヴァージニア・ファブロンを描き、彼女が男の心の母親固着こそを愛している事実をつきとめ、その結果彼女自身が次第にグロテスクな母性に変貌してゆく様を暴露した。

1968年の『別れの顔』では、ローレンス・チャーマーズの母と妻が、同様なグロテスクな母性であることを指摘し、そのローレンス自身の息子の悲劇を追求した。

そして1971年の『地中の男』では、およそ考えられる様々なパターンの、エディプス＝エレクトラ夫婦を並べたて、それぞれの子供たちの悲劇を一つの犯罪の中に集約させていった。

もはや言うまでもなく、これらは心理学によってのみ解明出来る、僕ら自身の心の謎である。探偵小説のヒーローであり、従って論理的ヒーローであるリュウ・アーチャーは、この心理学こそを最大の武器と考え、その謎に向って攻撃を加えたのである。だが、彼の敵、即ち犯人は、一対一で対決すべき、理想の敵ではなかった。ここにいた敵はことごとく、女性であり母性であった。本来理想の敵であるべき男は、その彼女らの無意識の共犯者にすぎなかった。この敵は、まさしく現実のそれであり、それゆえに冒険小説や探偵小説の快感などはなく、あるのはただ、やりきれない悲劇を認識した結果の、僕ら自身の心へのいとも苦いフィード・バックだったのである。

## 2　ハードボイルド・ヒーローとは

では、ここに登場するヒーロー、リュウ・アーチャーとは何者なのか。

彼の体験する世界は、作者によって多少整理されてはいるにせよ、あきらかに納得できる現実である。犯罪自体も、かなり日常的であり、犯人により理想的に構築されたトリックなどはどこにも見あたらない、とするならば、登場するアーチャー自身も又、現実のキャラクターでなければそこに同居出来るはずがない。だが、それでは、アーチャーは僕らの理想とするヒーローでは絶対にあり得ない。

にもかかわらず彼は、誰が読んでもあきらかにヒーローである。そして彼は、他の分野のヒーローとはまったく異った、ハードボイルド・ヒーローなのである。これはなぜなのか。

彼は、理想的な精神のみを持たされた、特殊なヒーローなのである。彼の肉体や行為や職業は、現実の中に同居するための手段にすぎず、アーチャーは本当は心だけの存在にすぎないのである。言いかえれば、リュウ・アーチャーという現実のキャラクターの肉体に寄生した、理想的精神の物語こそが、マクドナルド作品なのである。だから彼は、何を見、何を認識し、それに対しどんな主張を持つかだけが重要なのであり、それ以外はほとんど意味がない。彼に対する現実からの干渉は、肉体に対してのそれであって、精神に対するそれにはならないのである。ここにこそ、ハードボイルド派の固執する一人称描写の効用がある。これは理想的一人称なのであり彼はそんなヒーローなのである。

一体なぜこんなヒーローなのかは、言うまでもないだろう。僕ら読者も、作者と同様現実界の人間以外の何ものでもなく、現実こそが最も重要であるべきである。理想的ヒーローは、常に現実に還元出来ねば何の意味もなく、理想とはそれのみの為に存在しなければならない。だが、現実的な精神とは、誰でも知っているように、いわば生きる為の便法にすぎず、当然ながら理想とはいい難い。だからこそここに、現実に対して強力な姿勢をとり得る理想的精神が登場せねばならず、それゆえにハードボイルド・ヒーローが誕生したのである。彼らは、外見的には僕らと同じだが、内面的にはいるはずのない理想像たること、ホームズやターザンやボンドたちとまったく等しいのである。

では、強力な姿勢で立ち向うべき現実とは一体何なのか。それこそがエディプス＝エレクトラの問題であり、そこに出発した様々な現実逃避である。本来それらは、他人の立ち入るべきではない個人の世界であるがゆえに、寓話で語られねばならない問題だった。だが、マクドナルドはそうは考えなかった。それらは一見、個人個人異ったケースに見えながら、実は誰の心にも多かれ少なかれ存在し得る、共通の問題であると考えた。その根拠こそが、心理学であり、あらゆる科学と同様、それは常識となるべき事実なのである、にもかかわらず、僕らはそれに触れたがらない。自己の弱点に気付こうとしないどころか、それを回避し、言い訳をし、ごまかそうとするのが常である。これが、暗黙裡に認めあっているタブーなのであり、なぜなら、他人事はともかく自身を見つめるのはこわいからにすぎないのである。

しかしヒーローは違う。他人事どころか、まるで存在し得ない夢想の世界の住人である。彼らの寓意的な戦闘を、自分自身に還元したくなければ、それは簡単に出来る。ホームズもターザンもボンドも、安易な逃避へのきっかけには、容易になるのである。

実はハードボイルド・ヒーローこそ、この辺の盲点を利用した、見事な造形だったのである。現実にはオフ・リミットの世界であっても、理想の精神だけならば、それは常に自分自身の問題として斬りまくる事が出来る。ハードボイルド・ヒーローとは、だからアーチャーという個人に見えて、実は作者自身なのであり、それは一人称なるがゆえに僕ら自身でもあり得るのである。マクドナルド作品の登場人物たちのように、マクドナルドも僕らも、自己の内部に〝母〟を持つからに他ならないのである。

## 3　レイモンド・チャンドラーの女たち

『ウィチャリー家の女』以後、マクドナルドが標的を定めた母親追跡は、彼の前任者たるもう一人のハードボイルド派作家、レイモンド・チャンドラーの標的でもあった。いや、標的にならねばならないはずだった。なぜなら、1942年に発表した彼の長篇第3作『高い窓』で、私立探偵フィリップ・マーロウが見出した犯罪は、やはりマクドナルド同様な母と息子のグロテスクな関係だったからである。

ここに登場した富豪マードック夫人は、かつて自分の夫を〝高い窓〟から突き落した犯人であり、すべての犯罪はここから出発した。だから彼の息子は、そんな彼女から溺愛され、母親の呪縛からのがれられない、あわれな犯罪者だった。

にもかかわらず、われらのヒーローたるはずのフィリップ・マーロウは、ここにそれ以上の追求を試みようとせず、まるでのがれるようにマードック家から遠ざかってしまったのである。チャンドラーは、この一作のみで、理想的一人称に母性世界と接触させ、あとは再び従来のチャンドラーに戻ってしまったのである。では、チャンドラー的ハードボイルドとは何であり、彼はマーロウにたくして一体何を追っていたのか。マーロウの敵とは何だったのか。

1939年の処女長篇『大いなる眠り』には、色情狂の女カーメン・スターンウッドと、彼女の夫殺しを父親に知らせまいとしてギャングまで利用する姉ヴィヴィアン・スターンウッドが登場した。

1940年の『さらば愛しき女よ』には、ギャングである夫を捨て、財産目当てに名を偽ってまで富豪の老人と結婚し、さらに前歴を暴露されまいとして犯罪をかさねる女ヴェルマ・ヴァレントが登場した。

1943年の『湖中の女』にも、私欲のためには、あらゆる男を利用してやまない女、ミルドレッド・ハヴィランドが登場した。

1949年の『かわいい女』の女優ドロレス・ゴンザレスも、1954年の『長いお別れ』のアイリーン・ウェイドも自己の欲望のみに忠実で、恋人や夫は二の次という女たちだった。

彼女らは、常に次の点で共通する。すべてかなり色情狂である事。ギャングや殺し屋を利用するのは平気である事。すべて殺人犯人である事。彼女らの夫こそが、直接又は間接的な被害者である事である。

チャンドラー作品の主張は、常に一つしかない。悪いのは女である。女は犯罪者であり、ニンフォマニアであり、エゴイスティックであり、それにくらべれば男はそれほど悪くはない。

ところで、チャンドラーのヒーローたる私立探偵フィリップ・マーロウも、常に理想的一人称により事件を見つめている。彼も又あきらかに精神のみのヒーローである事は、リュウ・アーチャーとまったく同じである。その上、彼も又心理学的アプローチを武器とし、事実彼は〝ぼくは心理学者としてはしろうとですが、われわれの稼業の人間はだれでも多少なりとも心理学者の素質を持っていなければならないんです〟といっているのである。

だが、心理学とは、女だけに一方的に向けるものでは絶対ない。憎むべき犯人は女でしかないという事を、理論的に実証すべきものであるはずがない。にもかかわらず、チャンドラーの犯人は女ばかりなのである。これは一体どうした事だ。ほとんどの犯人が男であった本格探偵小説とハードボイルドの違いは、こんな事なのか。これでは、いかに心理学を持ち出そうが、作者自身の女嫌い気分しか残らないではないか。

僕らは、それが事実だった事を、彼の作品の題名からだけでも容易に理解出来る。彼の作品はまさしく〝さらば愛しき女よ〟の物語であり、事実この題名の作品こそが彼の最良作だったのである。なぜならこの作品にかぎって、彼は自分の理想とおぼしき女性、アン・リアードンを登場させ、それとの比較によって犯人ヴェルマ・ヴァレントをおそるべき女に描いたのである。この作品でのヴェルマのおそろしく醜悪な、しかしダイナミックな死に様は見事である。それにくらべ、ともかくもアンは、良い女である。

だが、彼の他の作品は違う。アンという理想のいない他の作品は、フィリップ・マーロウにたくしたひややかな眼を、女たちに一方的に向けるばかりだった。『高い窓』でも、単純にグロテスクな女の一人としてマードック夫人を登場させ、同様にひややかに描こうとした。これは彼の大きな失策だった。なぜなら、心理学的に彼女にアプローチすればするほど、彼女が母なるがゆえに、自分自身にはねかえってくるという事実に彼は気付かなかったからである。彼はここで大いにうろたえ、早々にマードック家をひきあげ、マーロウに二度と母に近寄らせなかったのである。なんの事はない、フィリップ・マーロウとはそれほど理性的ではなく、それほど攻撃的ではない、ただの女嫌いにすぎなかったのだ。

## 4　ダシール・ハメットの男たち

このレイモンド・チャンドラーよりさらに前に登場し、ハードボイルド・ミステリの始祖と呼ばれるダシール・ハメットの長篇には、次の5作、即ち『血の収穫』（29年）『デイン家の呪い』（29年）『マルタの鷹』（30年）『ガラスの鍵』（31年）『影なき男』（34年）がある。このうち、『マルタの鷹』は30年と41年の2回、『ガラスの鍵』も35年と42年の2回にわたって映画化されている。『影なき男』に至っては、34年の映画化以来、原作のキャラクターだけを借りたシリーズとして『夕陽特急（アフター・ザ・シン・マン）』（36年）『第三の影（アナザー・シン・マン）』（39年）『影なき男の影（シャドウ・オブ・ザ・シン・マン）』（41年）『風車の（ザ・シン・マン・

秘密《ゴーズ・ホーム》』（44年）『影なき男の歌《ソング・オブ・ザ・シン・マン》』（47年、本邦未公開）の計6作が製作されている。にもかかわらず、彼の最高作と呼ばれている『血の収穫』及び同じ主人公コンチネンタル・オプの登場する『デイン家の呪い』は、ただの一度も映画化されていないのである。

では、この映画化されていない傑作『血の収穫』とは、どんな内容の作品なのか。

通称〝ポイズンヴィル（毒の町）〟と呼ばれるパースンヴィルは、どうやら西部にあるらしい架空の新興都市である。この町は鉱山業で持っており、かつてはそのパースンヴィル鉱山会社の社長が町のボスだった。ところが、そこのストライキ騒動の解決策として、ギャングたちの手を借りたのが運のつき。それから以後、町は新旧入り乱れてのギャング・シティになってしまった。そこでこの社長に依頼されてやってきたコンチネンタル探偵社員《オプ》こと〝わたし〟が事態の収拾をはかろうという次第である。

ところでこのコンチネンタル・オプ、探偵社員というより事件屋みたいな人物である。町を粛正するには、あっちこっちをつつきまわし、ギャング共を自滅させた方がいいと考え、色々動きまわる。パースンヴィルには、彼のアイデア通り火がついた。殺人事件があいつぎ、警察、ギャング入り乱れての機関銃戦が派手に展開したのである。

これはあきらかにこの頃のアメリカ映画界がこぞって大量生産していたギャング映画と同様な内容である。だからこの小説は、探偵小説としてとりあげるべきではなく、『地獄の一丁目』（30年）や『犯罪王リコ』『夜の大統領』『民衆の敵』（31年）、『暗黒街の顔役』（32年）等々のギャング映画、ことに『Gメン』（35年）や『暗黒街全滅』（35年）等の対ギャング映画にくらべるべき作品なのである。

一方これは、あきらかに20年代を舞台とした西部劇でもある。パースンヴィルはまさしく無法の西部の町であり、鉱山、悪党たちの対立とくれば、コンチネンタル・オプはまさしく保安官役である。事実この長篇の原型であるコンチネンタル・オプ物の中篇『コークスクルー』は、邦訳名『新任保安官』が示す通り、まさしく西部劇なのであり、カウボーイまで登場しているのである。いやそんな事よりも、この作品の影響で作られた映画『用心棒』（61年）の、その又影響のイタリア映画『荒野の用心棒』（64年）が、形だけはまさしく西部劇であった事実が、何よりもハメットの実体を物語っているのである。ハメット自身が、ギャング映画の秀作といわれる『市街』（31年）のシナリオを書いていながら、その実『血の収穫』が映画化されなかった事情は、この辺にある。即ち、この程度の男の世界は、西部劇やギャング物では当時いとも常識だったのである。

事実ハメットは、やたらに男、あるいは男の世界にこだわった。例えば『ガラスの鍵』における、賭博師ネド・ボーモンとギャングのボスであるポール・マドヴィグの、西部劇もどきの男の友情論がそれである。例えば『マルタの鷹』の私立探偵サム・スペードが、それほど気の合うわけではない協同経営者マイルズ・アーチャーが敵に殺されて後、男の世界の約束事にこだわる姿勢である。

彼の後継者であるチャンドラーも、これと同様な男の世界を主張してやまなかった。例えば『大いなる眠り』でマーロウが、被害者ラスティ・リーガンに寄せる男同士としての同情である。『さらば愛しき女よ』に登場する、馬鹿で純情で女房に逃げられたギャング〝大鹿〟マロイに寄せる一種の同志愛。『湖中の女』の、これはもう西部劇としかいいようのない、犯人（本当の殺人者を始末した犯人であり、勿論男である）対初老の副保安官ジム・パットンの一対一の拳銃戦。ことごとく、男こそがかっこいいのであり、それにひきかえ女たちの醜悪さというわけである。

チャンドラーが、女を犯人に仕立て、くそみそにけなしたと同様に、ハメットも又そんな男の世界で本当に醜悪なのは女だと語っていた。そしてそれこそが男たちのまき込まれる血みどろの事件の核心とばかり、彼らに例えば『血の収穫』のダイナ・ブランド、『マルタの鷹』のブリジッド・オショーネシイ、『ガラスの鍵』のジャネット・ヘンリーたちを与え、同心円を描かせたのである。

それは『動く標的』（49年）に出発したマクドナルドも同様だった。

だが彼の場合は、ハメットがまったく無視し、チャンドラーが『高い窓』から逃出した〝母〟の問題を、当初から意識していた点で、大いに違っていたのである。即ち、『動く標的』のサンプスン夫人、『魔のプール』（50年）のスローカム夫人、『人の死に行く道』（51年）のローレンス夫人、『象牙色の嘲笑』（52年）のシングルトン夫人たちの存在である。これこそが、後のマクドナルドの原点なのであり、彼は結局は一方的な男賛美をやめられたのである。

## 5　本当に禁欲的なのか

ハメットの場合も、チャンドラーの場合も、たしかに彼らの描く世界は現実あるいはそれに近い世界である。とするなら、そこは〝男だけの世界〟であるはずがない。だから、本来的に女嫌いである彼らでも、女を登場させない訳にはいかなかった。しかし、意味なく登場させたのでは、彼らの本音がばれてしまう。そこで、女たちをすべて犯人、又は悪女に仕立てたのである。そうすれば、彼らは〝男だけの世界〟に忠実であり得、醜悪という名のもとに、理想の精神で斬りすてる事が出来る。彼らがすべてといとも禁欲的であった理由が、ここにある。

例えばチャンドラーの場合、マーロウは『大いなる眠り』でも『さらば愛しき女よ』でも『高い窓』でも『湖中の女』でも『かわいい女』でも、ただの一度も女と寝てはいない。ことに『大いなる眠り』や『かわいい女』では、ことのほか強烈なアプローチをしかけられるのだが、それでも決して寝てはいない。マーロウはたしかに禁欲的だったのである。

だがそんな彼が、チャンドラーの最高傑作と世にいわれる『長いお別れ』では、どうして登場人物の一人リンダ・ローリングと突然寝てしまったのか。その上、なぜ次の『プレイバック』では、さらに依頼人の秘書と寝て、〝完全なことは二度とありえない……〟などという彼に対する即物的な賛辞を言わせ、さらにもう一人の女と寝て、〝あなたのようにしっかりした男がどうしてそんなにやさしくなれるの？〟などと言わせ、〝しっかりしていなかったら、生きている資格がない〟などという、かの有名なセリフをマーロウに言わせたのか。そして、まるで里心がついたごとく、『長いお別れ』のリンダを結末でパリから呼びもどし、さらに未完の長篇『プードル・スプリングス物語』では、遂にマーロウとリンダの夫婦物語にまで発展させたのか。

同様な事はハメットにも当てはまる。初期のヒーロー、コンチネンタル・オプやサム・スペードは、たしかに禁欲的だった。しかし、『ガラスの鍵』のネド・ボーモンは、『プレイバック』のマーロウ同様、ジャネット・ヘンリーとの結婚を暗示して終った。そして『影なき男』は、『プードル・スプリングス物語』同様、元トランス・アメリカン探偵社員（まさしくコンチネンタル・オプの後の姿である）ニック・チャールズとその妻ノラ、及び愛犬アスター（『プードル……』にも彼らがプードルを飼うという話あり）の物語だった。

この、まるで禁欲的ではないどころか、ヒーローでもない彼らの後期は一体何なのか。実は、ここにこそハードボイルド派の長所と短所があるのである。ハメットのコンチネンタル・オプ物に出発し、チャンドラーのマーロウ物が受けついだ理想的一人称は、現実に対する冷静な眼であると同時に、ヒーロー（あるいは作家自身）の内部に対する冷静な眼でもあったのである。前者として使用しているはずの手法が、後者の力を発揮しはじめたのである。だからハメットは、彼の望む男だけの世界をとらえながらも、『血の収穫』の場合のように、コンチネンタル・オプの願望を夢の形で描いてしまったのである。

即ち、彼がダイナ・ブランドにすすめられた阿片チンキで酔い、〝大切な女〟と〝憎んでいる男〟の夢を見るくだりである。言うまでもなく前者は母の、後者は父の夢なのである。そして彼は、〝男だけの世界〟の不合理さに気付きはじめたのである。

同様にチャンドラーもそうだった。〝女嫌い〟で出発した彼は、理想的一人称にのり、女の醜悪な実体を求めて追跡した。その間はよかった。だが、進むうちに、『高い窓』で母にぶつかってしまった。そしてそれに触れたくない彼は、逃げたのである。そっちに進むと、理想的一人称はさらに自己の内部に向わねばならないと気付いたのである。だから次の『湖中の女』では、女そっちのけで西部の対決を描き、つまり男たちをほめたたえたのである。だがそうはいっても、一度のぞいた自己の深淵は強烈だった。悪いのは女だけの責任にさせられなくなった。そして、むしろ女の方こそが被害者ではないかと考えはじめ、それは男の責任でもあると認めたのである。女たちに対して何も出来なかった男テリー・レノックスが登場する『長いお別れ』は、言いかえるなら『さらば愛しき男よ』だったのである。

だがチャンドラーの理性、即ち理想的一人称フィリップ・マーロウの限界はここまでだった。彼らをそうさせた元凶たる、母の問題にはまったく進む事が出来ず、ハメット同様最も安易な方法をとった。それがヒーローの結婚なのである。

ハメットの単純さにくらべ、チャンドラーの場合はもっと複雑である。彼は『長いお別れ』と『プレイバック』の後、めずらしく中篇『ペンシル』（58年）を書いている。そして彼は、ここで彼の作品中最も好意的に描いていた女である『さらば愛しき女よ』のアン・リアードンを再登場させているのである。これはあきらかにマーロウの結婚相手の再確認である。その上この中篇で、彼は男こそが加害者であると断定をしているのである。その結果彼は、女は悪くないと確認した上で、平凡な女アンと金持ちの女リンダのうち、リンダを選んだのである。マーロウになぜ力強い女の方を選ばせたかは、もはや言うまでもなく、これでは根本的な解決は何もなされていないのである。

実は、後に母の核心に触れて行き、おそらくは自身の精神的自立を試みたマクドナルドも又、彼らと同じような試行錯誤を二度にわたって行っているのである。それが、アーチャーの登場しない二作、『死体置場で会おう』（53年）及び『ファーガスン事件』（60年）である。前者に登場するハワード・クロスは、結末で女とのハッピー・エンドを迎え、しかし次の作品でマクドナルドは再びアーチャーを登場させた。後者に登場するウィリアム・ガナースンは、女房持ちの弁護士で、しかし又々次の作品でマクドナルドはアーチャーを登場させたのである。そして後者はことに重要である。ここでマクドナルドは、自分の父親と知らずに結婚した娘の悲劇、即ちエレクトラの悲劇をガナースン自身の娘誕生のドラマにかさね、見事にヒーローたるべき自己を確認していたのである。だからマクドナルドは、それ以後アーチャーのみを登場させ、彼をまさしくヒーローとして描き続けたのである。ハードボイルド・ヒーローの禁欲は、そこではじめて〝女嫌い〟から脱出し、いとも理性的なそれに変貌したのである。

## 6　エディプス＝エレクトラ＝アメリカ

ハードボイルド型ヒーローの対敵行為とは、理想的精神のみなるがゆえに、外界の現実に自己の弱点を具体的に見極める作業である。だが、それならば、事はアメリカのみの問題であるはずがない。イギリスに、わが国に、ハードボイルドが生れても、一向にかまわないはずである。にもかかわらず、なぜアメリカにのみハードボイルドが発生し、それがいともアメリカ的なのか。ここに、実はハードボイルド・ヒーローの本当の意味がある。

ハードボイルド・ヒーローの体験は、あくまでもアメリカの現実、又はそれに近い世界である。誰でもそう感じるはずである。という事は、彼らがさぐり当てた醜悪な女、おそるべき母たちは、アメリカには現実に多いという事実を考えざるを得ない。即ち、アメリカ社会自体が、〝男だけ〟〝女嫌い〟〝母性願望〟という系譜をたどってきたという事に他ならないのである。

この問題は、この論のテーマではないので別の機会にゆずるが、これはまさしく事実である。ハメットの登場した1920年代は、間違いなく社会的にも〝男だけ〟のギャング時代であり、ヘミングウェイの短編集は『男だけの世界』（27年）と象徴的に名付けられている。

さらにチャンドラーの登場した1930年代は、例えばジェームズ・サーバーの漫画『男女戦争』で典型される女嫌い気分があふれ、まるで非女性的なヒロイン、オリーブ・オイルを出現させた『ポパイ』が圧倒的人気を集めていた。

そしてマクドナルドの登場した1940年代は、オースン・ウェルズが映画『市民ケーン』（40年）で、フィリップ・ワイリーが評論『まむしの世代』（42年）で、アメリカの母の正体をいちはやくさぐりはじめた時代なのである。

ハードボイルドとは、そんなアメリカの現実の中にあって、それぞれの時代に自らも又その一人である事を自覚した上で、その中に自己の理想を主張しようとした作品なのである。それは例えば火災の中では誰もが火傷をしない方法を考えるような。洪水の中では誰もが溺死せぬ方法を考えるような、そんな姿勢にすぎないのである。だからこそアメリカにしか、ハードボイルドは生れなかったのである。

そんなアメリカ的悲劇の中で、ハードボイルド・キャラクターが特殊とはいえヒーローたり得たのは、現実を冷静に見つめたいと願う理性以外の何ものでもない。そしてそんな中でリュウ・アーチャーのみが、真の原因に到達出来たのは、心理学を基本とした上の明確な論理を、自己の内部にこそ向けられたからに他ならない。そして論理とは、およそ感情、情緒、欲望によって動かされざるものなるがゆえに、本来禁欲的であるはずなのである。

ヒーローの物語とは、自らの母胎回帰願望を打破するための、僕ら自身の寓話である。とするなら、僕は一方的な男の主張だったハメット・ヒーローを否定する。さらに理性が不十分だったチャンドラー・ヒーローを、同情はするが、やはり否定する。そして、心理学を駆使しながら自己の内部の母と戦ったマクドナルド・ヒーローを肯定しながらもなお、そうせざるを得なかったアメリカ自体を否定する。

女嫌いのハードボイルドは、悲劇である。ハードボイルドが日本にも育つのなら、それは不幸な事である。にもかかわらずハードボイルドが日本にも生れねばならないのなら、それは日本のヒーローたちの責任なのである。

# ポイズンヴィルの夏

小鷹信光

小鷹信光（こだか・のぶみつ、1936―2015）

翻訳家。翻訳点数は多いが、ダシール・ハメットの新訳やロス・マクドナルドやジャック・リッチーの短篇集の訳業で、とりわけ著名。一九七〇年代のミステリマガジンに連載した『パパイラスの舟』や『ハードボイルド・アメリカ』などの評論家として、また『ブラック・マスクの世界』『〈新パパイラスの舟〉と21の短篇』などのアンソロジストとしての活動もある。本編は自身の翻訳であるハヤカワミステリ文庫版『赤い収穫』の解説だが、文中でふれられている〈ミステリ・オン・ザ・ロード〉のパート2は、「ミステリの地理学」として、ミステリマガジン九〇年一月号より翌年八月号まで連載され、パースンヴィルについては、そこでさらに詳しく考察されている。

初出＝ダシール・ハメット『赤い収穫』ハヤカワ・ミステリ文庫一九八九年／底本＝『ミステリよりおもしろい　ベスト・ミステリ論18』宝島社新書二〇〇〇年

クラーク・フォークの急流をはさんでモンタナ大学をのぞむミズーラのモーテルを出たのは昼すぎだった。その日の目的地は、そこから南東に二百キロ下った州南西部の古い鉱山町、ビュート――『赤い収穫』のパースンヴィル（別名ポイズンヴィル）のモデルとなった町である。

ミズーラからビュートまではインターステート90号線で三時間とかからない距離だが、途中道草をする予定がいくつかあったし、ビュートには陽が暮れぬうちにはいりたかった。本当は十時頃宿を出るつもりだったのだ。

出発が遅れたのは、ミズーラに住む作家、ジェイムズ・クラムリーの電話を待っていたからだ。前夜から待ちつづけたが、とうとう昼まで電話はかからなかった。出発まぎわに私は再度ダイヤルをまわした。こたえたのは、昨夜と同じ女性だった。

「あなたの伝言はたしかにミスター・クラムリーにつたえました」

用件をきいたあと、応答サーヴィスの女性はそうこたえた。名乗らないので彼女の名前はわからない。

「一晩中待ちましたが、かかってきませんでした。ここを出て、南に下らねばなりません。彼はテキサスから帰ってきているのですね」

「帰ってきました。あなたの伝言もちゃんとつたえたのですが……」彼女は繰り返した。

「数日後に、また近くに戻ります。そのときさっと会えるでしょう」

「今夜のあなたの滞在先をつたえておきましょうか」

「ビュートで泊まりますが、どこにするかまだ決めていません。宿が決まったら、もう一度電話をかけましょう」

「そうしてください。彼は……」

いいかけて彼女は口をつぐんだ。契約者の性格や習性に言及するのは、応答サーヴィスの仕事ではない。

「おそらく昨夜は酔いつぶれ、けさはひどい二日酔いで電話をかけられなかったのでしょう」

とは、私も口にしなかった。

ミズーラの町の酒場を一軒ずつフィルムにおさめる作業に予想以上の時間を費やし、町を出発したときはもう二時をまわっていた。ひとまず90号線を南南東に小一時間ほど走り、昔は10A号線と呼ばれていた州道1号線とのジャンクションでフリーウェイをおりる。フリント・クリーク沿いに真南に下るこの旧道をえらんだのは、この道がアナコンダの町を通過することをロードマップで確かめていたからだ。

『赤い収穫』にはビュートという地名が冒頭に一回だけでてくる。アナコンダのほうも一回だけ、十九章の老エリヒューのせりふの中にでてくる。アナコンダは、金、銀につづいてビュートで銅の豊かな鉱脈が発見されたあと、その精錬所として一八八三年に開発された町である。ビュートとはもちつもたれつの関係にあったアナコンダもこの際ついでに見ておこうというのが、予定していた道草のひとつだった。

古い町にはいるには、昔の人たちと同じ旧道をたどるほうがいい。90号線をそのまま下り、町に一番近い出口でおりてアナコンダに向うルートもあるが、地図の上では片道十キロの寄り道になるし、旧道のほうが距離も短い。

ロッキーの山なみを左方遙かに眺めながら、単調なモンタナの田舎道を南に下る。道幅が狭く、状態もよくないので、スピードはだせない。フリーウェイをつかって遠まわりするほうが時間的にはずっと早いことにすぐ気づいたが、もう後の祭りだ。小さな湖のそばを走り過ぎたあたりで、進路はきゅうに東に向いた。

州道1号線はほどなくアナコンダの町のメイン・ストリートにかわった。古い建物と新しい建物とが、調和を保って建ち並んでいる。大昔の蒸気機関車を正面に飾った、こぢんまりとしたヴィジター・センター。二つの町は昔、〈ビュート、アナコンダ&パシフィック鉄道〉によって四十キロの道のりを結ばれていた。砂岩造りのいかめしい銀行や商店。背の高い建物はみあたらない。百年前の西部の町の趣きがそのままのこっている。

ビュートにある古い鉱山名に由来するということだが、それにしてもアナコンダとは奇妙な名前をつけられてしまったものだ。発音はアナコンダではなく、アナカンダ。何度か口にするうちに、私の頭には「穴神田」という漢字がこびりついてしまった。その連想が無性にコッケイでしばらく笑いがとまらなかった。

　ものの本によれば、そもそも南北戦争で北軍が、南軍のリー将軍の率いる軍隊をまるで「大蛇（アナコンダ）」のように包囲したという故事によるらしい。それまではカパロポリスとか銅の町（カパー・シティ）と呼ばれていたのだが、結局「大蛇町（おろち）」にされてしまったのだ。

　町を通り過ぎると、やがて右手にアナコンダ銅山会社のボタ山や工場跡、そびえ立つ煙突の群が迫ってくる。一九八三年に本家のビュートの最後の鉱山（やま）が閉山になると同時に、ここも活気を失ったのだ。町そのものは、古い伝統を残しながら商業タウンと住宅地として必死に再興の道をさがし求めている。

　アナコンダでも予定以上の道草をしたあと、ふりだしの90号線に戻り、東のビュートに向かう頃にはすでに陽は沈みかけていた。町の南端を走り抜ける90号線をモンタナ通り出口でおり、真北に向かう。ビュートへの出口はその手前からいくつかあったが、「モンタナ通り」というのはいかにもそれらしい。おそらくメイン・ストリートの一本にちがいない。

　そのカンは適中し、道は町の目印である突出（ビュート）した岩山に向かってゆるやかにのぼりはじめた。裸の岩肌に大きな白いMの字が貼りつき、淡く光っている。〈ビッグ・ビュート〉だ。ビュートの町がその岩山の麓にひろがっていることを、私は知っていた。

〈ビッグ・ビュート〉を左前方に見ながら、いくつかの広い通りを横切り、モンタナ通りはのぼりつづける。フリーウェイをおりてしばらくのあいだは、通りの両側に明りがついていたが、

〈ビッグ・ビュート〉が迫ってくるにつれて、暗さが増してきた。背の高い無灯のビルがのしかかるように建ち並んでいる。

薄暮の中で私が迷い込んだビュートのオールド・タウンは、まさに死期を迎えつつあるゴーストタウンだった。四つ角にそびえ立つゴシック風の教会の石塔。一ブロック全体を占めんばかりの、巨大な無人のビル。かつての栄華と喧騒を偲ばせるまばゆい夜の灯はどこにもみあたらない。

ずんぐりした無灯のビルの群が支配する静けさと不気味さに、私はおじけづいていた。薄暗い路地をのぞけば、オプとワニ足のマクスウェインの亡霊が、無言でにらみあっているような気さえしてくる。

ビュートのオールド・タウンは、生きたまま廃墟と化してしまったのだろうか。

それから約十年つづいた一八六四年のゴールド・ラッシュのあと、ビュートの灯は一度消えかけた。銀鉱の発見で再度西部のブームタウンとなったが、これも長くはつづかなかった。標高一七三〇メートル、大陸分水嶺のすぐ東側の高地に位置するビュートの名がアメリカ中に鳴り響いたのは、一八八三年の銅の大鉱脈の発見による。ビッグ・ブームがおしよせ、ありとあらゆる人種の人々が群がった。

ビュートは今世紀にはいり、第一次大戦を経て、アメリカが大不況期を迎えるまで栄えつづけた。

一九〇〇年の人口は、周辺地区をふくめて六万にまでふくれあがり、精錬された銅の年間産出高は二億五千万ポンド、アナコンダ銅山会社の年商は四千五百万ドルにのぼった。ビュートの最盛期は一九一九年頃だったらしい。市内の人口が六万、周辺をふくめると十万人に達し、そのうち鉱山従業員が二万人にのぼっていた。

その後、労働争議や大不況、産出高の衰退にともなって町はしだいに衰(おとろ)え、人口も減っていった。一九四二年、約三万七千人。一九六〇年、約二万八千人。一九八〇年にはまた息を吹きかえして約三万七千人にまで増加したが、その後は横ばいをつづけ、現在はアナコンダと同じ三万八千人を維持している。

一九五五年には新事業として開発されたバークリー・ピットの露天掘りがはじまったが、後楽園のドーム球場がすっぽりと三百個ぐらい埋まってしまう広さと深さまで（一マイル四方、深さ千二百フィート）掘りすすんだところで、一九八二年に操業を中止。ビュートの鉱山(やま)は、翌年の六月十日に全面閉山となった。

それから五年、ビュートの人々はどのようにして生計を立て、どこに住むようになったのだろう。無人同然のゴーストタウンからは、その返事は得られなかった。

闇におびえ、静けさを怖れ、亡霊に追われてオールド・タウンを逃げ出した私は、モンタナ通りの東側、南の郊外につづく明りのほうに車を向けた。そこには、アメリカのどこにも見られる中都市の郊外とそっくり同じ光景が待ちうけていた。

カー・ディーラー、ガソリン・スタンド、ファースト・フードのレストラン、スーパー・マーケット、小さなショッピング・モール。大通り沿いにどこまでもつづく、これまでに飽きるほど見てきた光景だ。

これは、私が頭に描いてきたビュートではない。この町を自分の目で見てからでなければ、『赤い収穫』の翻訳にはとりかかるまいと心に定めていたビュートではない。

小空港の正面に位置する〈カパー・キング・イン〉に宿をとり、澄んだ夜空の満月を見あげながら、心はなぜか安まらなかった。あすもう一度、明るい陽の下で、ビュートの昼の顔を見てみよう。

ビュートの町をジェイムズ・クラムリーは、『ダンシング・ベア』の第七章で思いいれたっぷりにこう描いている。

「……ビュートは、どこから見ても美しい街などではない。例えば、バークリー鉱山の大きな口が山腹を食いちぎっている……さまざまな面で、ビュートは悲しい町だ。欲望をむきだしにした資本主義の成功と失敗の痕跡を見せてくれる、壊れかけた記念碑だ……しかし廃れたとはいえ、古い街は生きつづけている……最高の酒場が軒を連ね……モンタナに生まれ育った者は、この老いたる娼婦に対する愛着の念を捨てきれないでいる」（大久保寛訳）

この一節は、明らかにクラムリーがハメットと『赤い収穫』に寄せたオマージュである。クラムリーに会いたかったのは、ミロのことだけでなく、ハメットや『赤い収穫』のことも語りあいたかったからだった。

その夜モーテルに落ち着いてから、何度かためしてみたが、応答サーヴィスの女性も電話にでなかった。無人の家の中で、電話のベルだけが鳴りつづけているのか、それとも電話機からちょっと離れたところで、酔いつぶれたクラムリーが高いびきをかいているのか。


『赤い収穫』のパースンヴィルがビュートをモデルにしたことは、この小説が発表されたときからすでに既成の事実のようにうけとめられていた。

だが、そのことを最初にはっきりと指摘したのがだれかは、私もまだ調べていない。ビュートとパースンヴィルの類似性や差異についてくわしく述べた文章もみかけない。それについては『ミステリマガジン』で再開する〈ミステリ・オン・ザ・ロード〉のパート2でくわしく触れるので、ここでは要点だけを箇条書きにしておこう。

1　ビュート、アナコンダの近くに位置し、文中にあるようにオグデン、ソルト・レイク・シティに鉄道が通じ、人口四万を数えるモンタナ州の鉱山町のモデルとなり得る町はビュート以外に存在しない。
2　ハメットが『赤い収穫』の冒頭に、別の町としてビュートの名前を記したのは、〝名誉毀損〟で町から訴えられることを避ける方便ともうけとれる。パースンヴィルという明らかな仮名を用いたのはそのためだろう。

3　ビュートという町は、アメリカ一の鉱山町として十九世紀末以来非常に知名度が高かった。その名前を冒頭に配することによって、逆にモデル説を印象づける結果が生じた。

4　過去四十年にわたって町を支配してきた独裁者（老エリヒュー）という人物設定は、実際のビュートの歴史とは一致しない。この設定はあくまでもハメットの創作。現実には、大企業がビュートの鉱山業を統合した二〇年代末まで、この町はあい争う三人の鉱山王の支配下にあった。

5　ピンカートン社のオプ時代、一九一七年に、ハメットはビュートの町で、スト破りの傭兵として働いたことがあり、この町のことを熟知していた。

6　パースンヴィルの町全体の雰囲気や状況は一九一〇年代のビュートに酷似している。前世紀末、アメリカで最もタフな労働組合とうたわれたビュートの〈マイナーズ・ユニオン〉の内部紛争の際、ユニオン・ホールが爆破され、戒厳令によってストライキが解除されるという事件があったのが一九一四年。このとき、鉱夫に支持されていた反戦主義者で社会主義者の市長と保安官が解雇された。また、一九一七年六月には、グラニット・マウンテン鉱山で大火災が発生し、死者百六十名以上の大惨事となった。そして同じ年に、ハメット自身もかかわりがあった、組合リーダー、フランク・リトルのリンチ事件。

7　明らかなモデルとみなされることを避けるために、ハメットはパースンヴィル市内の通りや建物の名前をすべて架空名にしている。ブロードウェイだけは実際にビュートにもあるが、アメリカ中に数えきれないほどある名前なので、この一致は問題にはならない。いずれ〈ミステリ・オン・ザ・ロード〉で詳述するが、現実のビュートの町は碁盤目状に整然と区画され、東西にのびる通りには鉱物名（カパー、グラニット、ガリーナなど）、南北に走る通りには州名（モンタナ、ダコタ、アリゾナなど）がつけられている。

こういったことが少しずつ明らかになってきたのは、郊外のモーテルで一夜を明かした翌日、ビュートのオールド・タウンを、克明に写真を撮りながら歩きまわった成果にもよっている。二軒の書店では、この町の歴史を写真入りで教えてくれる貴重な古書や写真集も入手した。七十五ドルの高値がついていた古い写真集は刊行年が一九〇〇年。一部汚損はしているものの、保存状態はきわめて良好で、写真も鮮明だった。

私にとっては願ってもない掘り出し物だったが、値切りもせずに気前よく代金を支払う日本人がよほど物好きに思えたのだろう。なかばあきれ顔で私を見ていた店主が、ついでにといって奥から持ちだしてきたのは、今世紀初頭に発行されたビュートの新聞の山だった。一年分が一冊に製本されている。とても運びきれるものではない。

そのときはていねいに断わってしまったが、いま考えてみれば、そっくり買いとってすぐ船便で送るという手もあったろう。私がためらったのは、宝物を根こそぎさらっていく盗掘者のようなうしろめたさを感じたからだった。

別の書店では中年の女店主と、本を買ったあとしばらく会話を交わした。ハメットの『赤い収穫』がこの町をモデルにしていることを、彼女は知っていた。フランク・リトルのことも話しあった。

ハメットはともかく、リトルのことはビュートの人たちもよく憶えているらしい。組合運動の英雄として葬られ、盛大な葬儀の写真ものこっている。墓も近くにあるが、彼女は一度も見にいったことがないという。場所をたずねると、空港の隣りだという返事がかえってきた。ということは、チェックアウトしてきた昨夜のモーテルのはす向かいのあたりだ。結局墓まいりはやめにして、女店主に教えてもらった資料館をたずねてみた。が、昔の消防署の建物の二階にある資料館は、あいにくこの日は休館日だった。

七月の暑い日だった。昨夜、モーテルの部屋でみつけた市内案内のパンフレットがなければ、私は日射病で倒れていたかもしれない。現存する古い建物を見物してまわるウォーキング・ツアー・ガイドを頼りに、数枚写真を撮っては日陰に身を隠す。しばらく休んで、また日なたに足を踏みだす。四十度を超す炎天下、ただでさえひとけのない通りには、ほとんど人影はみあたらない。

私の奇妙な行動に関心をもったのか、近づいてきた車の主に、「なにをしているのか」と声をかけられた。ウォーキング・ツアーのパンフレットを見せて説明すると、相手は納得したらしく、走り去っていった。もしかするとあれは覆面パトロールカーだったのかもしれない。

「ここはビュートの最初のタウン・ホール跡で、二階の壁面にその名残りがのこっている」と記された中華レストランで昼食。

「この建物が昔はなんだったか知っていますか」と、店の女の子に意地悪な質問をしてみたが、もちろん彼女は知る由もなかった。

書店でみつけた古い写真集には、十九世紀末のビュートの市街写真もたくさんおさめられていた。百年前と同じ位置から、現在の写真を撮れば、あとでいろいろおもしろいことがわかるだろう。

昼食のあとはおもにその仕事に費やし、ビュートの町をでたのは午後遅くになってからだった。それから数日を、イエローストーン国立公園で過ごし、ボーズマンまで北上し、90号線でビュートに戻ったのが三日後のことだった。

あと一度だけクラムリーに連絡をとってみよう。「ビュートで会おう」といえば、足を運んでくるかもしれない。

すっかり馴染みになってしまった応答サーヴィスの女性に、モーテルの部屋番号をつたえ、私は最後のチャンスに賭けた。

クラムリーは電話をかけてこなかった。

彼の小説の翻訳者が、彼の町で、ただなんとなく会いたいと連絡してきたことに、電話でこたえる関心ももたないのはなぜか。

私がミズーラにいた日は先約があり、こんどはビュートまで来るのがおっくうだったのか。それにしても、なぜ一本の電話もかけられないのか。それではたんに気分だけのことなのか。それではあまりにも非社交的ではないか。

いや、それがこの男なのだろう。

手紙で、「私は飲めないが」とあらぬことを書いたのがいけなかったのだ。一緒に酔いどれる自信はなくとも、たとえクダを巻かれても、酔いどれ男の相手をする勇気さえあれば、予告もなにもせずに、彼の家をいきなり訪ねればそれでよかったのかもしれない。そこにいなければ、ミズーラの酒場のドアを一軒ずつノックしてまわればよかったのかも。

クラムリーからの電話を昼まで待ってモーテルを出ると、私はふたたび東に向かい、ボーズマンを経てビリングズに赴いた。ここも古い町だが、郊外にのびる住宅地が整然と開発され、人口も十万を超えて、モンタナ一の繁栄を誇っている。しかも、夜になってもオールド・タウンの灯は消えない。古いものと新しいものが調和を保って共存している。

ビュートのオールド・タウンだけが取り残され、廃墟と化す日を待っているのは、あまりにも早く盛りを迎えたこの「老いたる娼婦」の過去の栄光栄華がとてつもなくきらびやかだったためなのだろう。

ミズーラで借りた車をビリングズで乗り捨て、コロラド州デンヴァーに飛び、サンフランシスコを経て帰国したのは、一九八八年の八月上旬だった。

それから一年後の夏、『赤い収穫』の翻訳を終えたあと、私はサンフランシスコでジョー・ゴアズと再会した。著書『ハメット』があるゴアズもまたハメット研究の先駆者のひとりである。去年の夏、私がビュートを訪れた話をすると、一度も行っていないことを彼はしきりに口惜しがった。パースンヴィルがビュートであることを、彼は寸分も疑っていなかった。

ゴアズは、私の英語の先生役も快く引き受けてくれた。『赤い収穫』の翻訳作業中にでくわした三十数カ所の不明箇所を、私のためにていねいに解読してくれたのである。私が示したいくつかの単語やフレーズは、若い世代のアメリカ人には意味が通じにくいだろうが、自分ぐらいの世代にとっては辞書を引かなくてもよくわかる、といいながら、疑問点をすべてその場で解決してくれた。

彼のほうがもっぱら関心を示したのは、ビュートの町のことと私が持参したテキストだった。新版ではなく、私はわざわざ愛蔵のポケット・ブックの初版を持っていったのだ。せめてものの心づかいのつもりだった。

丸二時間の講義のあと、私たちはヴェランダで冷たいペリエを飲みながら、くつろいだ。

「ここはいいところだね」

「友人のアパートなんです。ほら、あそこにサン・クェンティンが見えるでしょう」

「ああ、見えるね」

短い沈黙があり、やがてゴアズが考え深げにいった。

「それなら、映画はその町で撮れそうだな」

「撮れますね、きっと」

「映画」というのは、これまでに何人もの人間が試み、いくつもの企画が練られた『赤い収穫』の映画化のことだった。講義のあいまに、なぜこの小説が本格的に映画化されなかったのか、私たちは話しあっていた。ゴアズ自身も脚本化を考えたことがあったらしい。

「その町」というのは、もちろんビュートのことである。昔のままの町なみがかろうじて保たれているオールド・タウンで、オール・ロケによる撮影がおこなわれればどんなに素晴らしいことだろう。路面には市電を走らせ、クラシック・カーを総動員し、煙突にはもう一度煙を吐かせる。建物に手を加え、エキストラとなる町の人たちにはタンスの底からひっぱりだした古着をつけさせる。「老娼婦」に最後の化粧を施し、一世一代の大芝居を演じさせるのだ。

暮れなずむマリン郡の夕景を眺めながら、ジョー・ゴアズも私と同じ夢を見ていたのだろうか。

一九八九年八月三日

# 〝清水チャンドラー〟の弊害について

池上冬樹

池上冬樹（いけがみ・ふゆき、1955―）

立教大学日本文学科卒。翻訳家をへて文芸評論家に。週刊文春、共同通信、時事通信ほかで活躍中。著書に『ヒーローたちの荒野』と『週刊文春ミステリーレビュー 2011-2016［海外編］名作を探せ！』（文春e-Books）。編著に『ミステリ・ベスト201 日本篇』、共著に『よりぬき読書相談室』ほか多数。文庫解説も約五百冊弱。二〇〇四年から三年間、朝日新聞の書評委員。一四年より宮城学院女子大学非常勤講師。一九年から二三年まで東北芸術工科大学文芸学科教授。

初出＝本の雑誌一九九五年四月号〜六月号／底本＝『ヒーローたちの荒野』本の雑誌社二〇〇二年

# 1

ある仕事で、レイモンド・チャンドラーの『高い窓』を清水俊二（しみずしゅんじ）訳のハヤカワ・ミステリ文庫版で再読しはじめたのだが、全然心が躍らない。田中小実昌（たなかこみまさ）訳のポケ・ミス版で読んだときは、生きのいい描写と会話に感心し、さらに、プロットの弱いチャンドラー作品のなかでも上出来のプロットで、個人的には世評の高い『さらば愛しき女よ』よりも買っていたのだが、訳文に張りがなく乗れないのだ。

H・R・F・キーティングは、『海外ミステリ名作100選』（早川書房）で、チャンドラー作品を異例にも二作、『長いお別れ』とともに『高い窓』を選んでいるのだが、理由のひとつとして、チャンドラーが規定したマーロウの特性、すなわち〝荒削りなウイットをもち、醜怪なものに対する生き生きとした感覚を備え、ごまかしを嫌悪し、卑しさを軽蔑する〟姿勢がよく出ていることをあげている。この〝荒削りなウイット〟という表現に、意外に思われるかもしれない。でも、若々しく威勢のいい双葉十三郎訳の『大いなる眠り』や、田中訳の『高い窓』『湖中の女』の一人称〝おれ〟のフィリップ・マーロウを想起されれば納得されるだろう。〝おれ〟を使う田中マーロウには反感をもつファンが多いが、原文で読むと、『長いお別れ』の中年マーロウ以前は、一人称は「私」よりも「おれ」が似合う。若造が利いた風なことをいいやがって、といったニュアンスがあるからである。だいいち『大いなる眠り』で登場したマーロウは三十三歳。『高い窓』は、『大いなる眠り』『さらば愛しき女よ』に続く長篇第三作。ハメットが強烈に打ち出したハードボイルド・ミステリの継承者として、チャンドラーは、口語と俗語をふんだんに使い、頽廃した上流階級、腐敗した社会の現実をタフなヒーローの視点で生々しく活写したのだ。

ところが、清水訳となると、この辺の俗語が俗語として訳されていない。『高い窓』でマーロウは〝覗き屋〟(peepers)と何度か呼ばれるが、田中訳では、〝覗き屋の探偵〟と補い訳をして原文の意味をくんでいるが、清水訳はあっさり〝私立探偵〟。運転手がひやかし気味にマーロウを〝Jack〟と呼ぶと、田中は〝おっさん〟と訳すのだが、清水はあっさりと〝ジャック〟。いや、まだ呼びかけ語を訳しているだけいいほうだろう。清水訳の基本は(『長いお別れ』がいい例だが)、〝kid〟〝baby〟〝brother〟などの呼びかけ語は訳さない主義。『長いお別れ』では文章の一段落がいくつも抜けているし、小鷹信光氏によれば『さらば愛しき女よ』でも同じらしい(『ハードボイルド・アメリカ』一八三頁参照)。清水訳には問題ありなのだ。

とはいっても、『長いお別れ』『さらば愛しき女よ』などの清水の訳文には、生き生きとしたリズムがあるし、そこはかとないロマンティシズムが醸しだされている。そこが日本でチャンドラーが人気をよぶ原因でもあるが、しかしそれこそがまさに、清水チャンドラーの弊害でもあるのだ。

## 2

ただいま制作中の『ミステリ絶対名作201』（新書館）の座談会で、レイモンド・チャンドラーの『さらば愛しき女よ』の邦題について、評論家の松坂健（まつざかけん）氏が、〝あれは内容からいっても絶対に〈おんな〉と読まなくてはいけない〟と述べたのが面白かった。読者は何の疑問なく、『さらば愛しき女よ』の〝女〟を〝ひと〟と読んでいるが、別にルビが振ってあるわけではない。〝おんな〟と読んでもいいのに何故〝ひと〟なのか。内容に即して考えても、マーロウがヴェルマに対する見方は、〝ひと〟などと呼ぶほど優しいものではない。大鹿マロイの視点に立っても、ヴェルマは要するに〝おれの女〟である。原題の〝フェアウェル・マイ・ラブリィ〟の〝ラブリィ〟とは、ウェントワースのスラング辞典を見ると、〝ラブリィ・ウーマン〟、すなわち〝麗しい女〟のこと。言葉の意味からも、物語の内容からも〝愛しき〟は間違い。だが、チャンドラー作品には、そういうロマンティックな題名が似合う雰囲気がある。その雰囲気をよりいっそう助長しているのが（前回も書いたが）清水俊二の翻訳なのである。『さらば愛しき女よ』『かわいい女』『長いお別れ』の翻訳では、地の文の一人称は「私」、会話では「ぼく」だったのだが、『高い窓』『湖中の女』の新訳では会話でも「私」。マーロウはまだ中年の域に達していないのに、『長いお別れ』以上の中年像。一言でいうと、清水訳はチャンドラー美化訳、マーロウ賛美訳。そのためにマーロウは、卑しい現実の諸相を見極めるハードボイルド・ディックとしてより、感傷的な探偵のイメージを強くしている。しかも、たとえば最高傑作『長いお別れ』がいい例だが、性的な俗語を誤訳しているために、見極めが曖昧になっている。

というのも、かつてドナルド・E・ウェストレイクがフィリップ・マーロウ＝ホモセクシャル説を唱え、ロバート・A・ベイカー＆マイクル・T・ニーチェルと論争になったことがあるが（詳細は「ミステリマガジン」八六年四・五月号参照）、正直なところ、日本の読者にはよくわからなかった。反論が情緒的だったためもあるが、何故こんな説がとびだしてくるのか理解できなかったのだ。しかし、原書で『長いお別れ』を読むと、マーロウ同性愛説はともかくとして、そういう話が出てくるのも頷ける。ホモセクシャルの匂いがあるからである。特に作家のロジャー・ウェイドがいたずらに同性愛（原文では〝queen〟や〝queer〟）を拒絶しているのが印象的。しかし翻訳では〝クイーン〟は「女王」、〝クィア〟は「変わった人間」である。何という誤訳！　日本の読者が論争に首をひねるのも無理はないのだ。

チャンドラー作品における淫蕩な悪女たち。性的に放縦な彼女たちとはまた別の視点、つまり同性愛への恐れを示す作家の苦悩は、男同士の友情という『長いお別れ』の本筋に微妙に絡む脇筋を構成しているが、そこを清水マーロウは見落としている。

### 3

昨年の暮れ、角川書店から「別冊・野生時代　矢作俊彦」というムックが出た。ファン待望の二村永爾シリーズの新作『グッドバイ』が目玉だが（これはいずれ触れます）、矢作と久間十義の対談も面白い。ロス・マクドナルド、ジェイムズ・クラムリー、ロバート・B・パーカー、ポール・オースターなどが痛烈に批判され、その矛先は彼らを褒める（僕のような）評論家にも向けられている。異論があり、いつか反論を書きたいと思うが、興味深かったのは、やはりチャンドラーの項目、特にマーロウの名台詞、〝タフでなければ生きていけない。優しくないと生きていく資格がない〟についてだ。

　言うまでもなくこの名台詞、清水俊二訳では、〝しっかりしていなかったら、生きていられない。やさしくなれなかったら、生きている資格がない〟（ハヤカワ・ミステリ文庫版『プレイバック』二四三頁）である。清水が〝しっかり〟と訳したのを、〝石鹸屋の泡旦那〟（名前は書いてないが、生島治郎）が、〝タフ〟にした。〝タフだなんて、誤訳もいいところでね〟と矢作が語ると、久間が、〝タフというのは、非常に頭が悪いという印象がある言葉ですよ。故意とはいえ、相当な誤解だ〟と受け、〝その誤解の上に〟ハードボイルドを〝成り立たせたかったんだろうね、その人は。というか、そんなふうにしか理解不能だった〟と矢作は生島を厳しく批判している。矢作によると、この名台詞は素直に訳すと〝「ハードでないとやっていけない。ジェントルでないと生きていく気にもなれない」であり、〝資格がないなんてニュアンスは遠いし、「ジェントル」は優しいより「きちんとした態度」みたいな感じでしょう〟と述べている。詳述するスペースがないが、原文と文脈を考えれば、僕も矢作説を取る。事件の渦中の女と一晩を共にしたマーロウは、女が寝ている間に女の素性を知り、翌朝、ホテルへ送っていこうとする。〝ジェントル〟は素性を知ったにもかかわらず、きちんと女を送ろうとするマーロウの態度を指している言葉だろう。〝優しい〟と解釈するのは、ロマンティックな探偵としてのマーロウに対する訳者の思い入れによるもの。

前々回、前回と、チャンドラー作品における清水訳の弊害について書いてきたが、それは日本のハードボイルドの受容を語りたかったためである。清水訳でマーロウのロマンティシズムが強調され、特に事件と人物、または人物同士の関係における距離のとり方、そこから生まれる感傷といったものがクローズアップされるようになった。それはひとりチャンドラーだけではなく、ハードボイルドそのものの受け止め方に影響を与えたのではないか。もし清水訳ではなく、田中小実昌の翻訳で全作訳されたら、ハードボイルドはもっと違った側面で語られたのではないか。

といっても、ハードボイルドを〝誤解の上に成り立たせた〟生島を非難する気持ちはない。

大げさな言い方をするなら、ここに日本ハードボイルドの原点があるからである。たとえ誤解であろうと、生島や結城昌治たちが耕し、種を蒔いた国産ハードボイルドの畑には美しい花が咲きほこっているからだ。

# 「本格ミステリ冬の時代」はあったのか

森下祐行

森下祐行（もりした・ゆうこう、１９５６―）

東京理科大卒。海外ミステリ総合データベース「ミスダス」（Multi-Information System of Detective And Suspense stories）の運営管理者。同サイトは「翻訳作品集成」（ameqlist）や Aga-Search と並んで、信頼性の高いミステリ関連のサイトとして名高い。本編も、最初は同サイト上で公開されていたもので、活字になるのは、今回が初めてになる。ミステリマニアの間では、雑誌幻影城のファンクラブ怪の会の機関誌「地下室」への寄稿で知られていた。

本編の初出はミスダスということになるが、現在はｗｅｂ上で公開されていなくて、かつて公開されていたものとは文章に異同がある新稿を、筆者より提供を受け収録したので、底本はその新稿である。

1

かつての〝本格ミステリ冬の時代〟が嘘だったかのように、このジャンルはかつてないほどの活況を呈しています。

芦辺拓は鮎川哲也の『人それを情死と呼ぶ』（光文社文庫）の巻末エッセイ「街角のイリュージョン」のなかで、こう述べています。エッセイは次のように続きます。

実際、今となっては非常に奇異な感じがし、説明もしにくいのは、そうした状況が時代の淘汰にあったとか、もっと端的に商業的にペイしないとかいう理由とは無関係なところからもたらされたということです。さて何にたとえればいいのか、かつての社会主義国で市場経済を語ることが〝進歩〟にそむくナンセンスであると考えられたのにも似て、それは問答無用のタブーといっていいぐらいでした。

当時を知らない若い読者がこれを読んだら、「いやあ、本格ミステリ好きの僕たちは、こんな時代に生まれなくてよかった」と思うことでしょう。実際、そういう文章をネットで見かけることはめずらしくありません。

でも、それは間違っています。間違っていると言ってまずければ、ある一方的な物の見方です。その歴史観が一方的であることを、さて何にたとえればいいのか。かつて江戸時代は封建主義の暗黒社会で、明治になって民衆はやっと解放された、という歴史観が一方的なものの見方で、実は江戸時代の庶民は（ある枠の中では）今以上に自由だった、というのに似ているでしょうか？　少なくとも、江戸時代とは言え、侍が町民を問答無用に切り捨てておとがめなし、ということはありませんでした。「本格ミステリを書いてはいけない」という、問答無用のタブーなぞ、どんな時代にもありませんでしたし、実際、どんな時代にも本格ミステリは書かれ続けていました。

「本格ミステリ冬の時代」はなかった。それを検証していこうというのが、この文章の目的です。

最初に、先程のエッセイに反論しましょう。

「街角のイリュージョン」のなかで、芦辺拓は「本格ミステリ冬の時代」の例証として、次のように述べます。

> そのあたりの時代の空気は、当時新しい世代に圧倒的に支持された横溝正史氏の「やっぱり、今書く人は、（松本）清張君の洗礼をね、受けてなければいけないと思うの」（「別冊・幻影城」'77年11月号での栗本薫氏との対談より）というひどく遠慮がちな発言にも表われていますし、ある高名な作家はいわゆる新本格の時代が訪れたあとも、こう発言しています――「新しいか、古いかを考えずに、好きなタイプの推理小説を書くには、どうすればいいか。推理作家にならなければいい」と。現実にその覚悟は、〝古い〟と断じられた本格ミステリを指向するそのころの若者たちにとって必須なものでした。

わたしは横溝正史と栗本薫（くりもとかおる）の対談をリアルタイムで読んでいますが、横溝正史が遠慮がちに発言しているとは感じませんでした。だって、やっぱり、今書く人は、松本清張の洗礼を受けていなければいけないでしょう。それは「社会派」を書けということではありません。

芦辺拓が引用した箇所は、栗本薫が「最近の若い人の中には先生（横溝正史）の世界の延長のようなものを書きたい、という人がいると思う」という発言に対しての答えです。横溝正史の発言は、次のように続きます。

同じそういうものを書きたいなら書きたいでね、同じロマンを書くにしても、リアリズムの手法をマスターしてからなら、また違ったものになって来るでしょう。やっぱり、清張以後よね。森村（誠一）君なんかはそのへんをわきまえているでしょう。清張以後のロマンの書き方だね、あれは。

そして、栗本薫の森村誠一を高く評価するか、という質問に「している」と答えています。ミステリを含め、あらゆる文芸は、過去の作品の上に成り立っています。特に本格ミステリのような極めて技巧的な小説は、伝統を無視しては進歩しません。清張以後、ミステリは大きく変わりました。その変化を無視することなく、清張以後の本格ミステリは、清張の洗礼を受けた上で、それを乗り越える作品を書かなくてはいけない。つまり、リアリティをなおざりにせずに、また狭い枠の中だけで満足することなく、広い視野にたって本格ミステリを書いていかなくてはいけない。横溝正史はそう言いたかったのでしょう。さすがヨコセイ、いいことを言うと感心したものです。

ひるがえって考えてみると、横溝正史は自らそれを実践してきた人です。ディクスン・カーに触発されて『本陣殺人事件』を書いたとき、カーのオカルティズムをそのまま日本にもってくるのではなく、「岡山県に疎開したので、つぶさに因襲的な農村の生活を見究める機会に恵まれた。その封建性を根強く残している農村の精神的風土をさぐることによって、リアリティーと伝奇性で論理の骨格を包むことに成功したのである」（中島河太郎「推理小説事典」）。横溝正史は安易に黄金時代のミステリを模倣するのではなく、当時の現実から探偵小説的な発想をふくらませたのです。

そういう横溝正史が若い作家に「清張の洗礼を受けてなければいけない」というのは、本心からのアドヴァイスでしょう。少しも遠慮していません。

続く高名な作家（たぶん都筑道夫だと思いますが）の発言は、プロの作家なら当然のものではないでしょうか？　好きなタイプの作品だけ書いていいのは、素人だけです。つねにその時代を切り取った「新しいもの」を提示していくことは、プロの作家に課せられた使命のひとつでしょう。そういう覚悟は、本格ミステリを指向しようが、ハードボイルドを指向しようが、はたまた官能小説を指向しようが、まともな作家なら当然しなくてはいけない覚悟です。これが「本格ミステリ冬の時代」の例証になるとは、どうしても思えません。

芦辺拓の件のエッセイは、このあと最近の本格ミステリの傾向に触れ、バーチャルな舞台設定を用いたものと〝日常の謎〟派の二つの流れがあるとした上で、両者の中道はないのか、となげかけます。「われわれが暮らす、この逃れようもない現実――少なくともそこと地続きの世界で、非日常にして特異な謎が展開され、解決される。そうした、言わば街角の一場のイリュージョンを見ることはできないものだろうか」と。そして、鮎川哲也の作品が、それを体現したものであるとしています。

この部分は、わたしも同感です。鮎川哲也の作品は、まさにそういう面白さがありました。

そして、ここからが問題なのですが、実は〝社会派推理小説の時代〟と言われた昭和三〇年代に、多くの心ある推理作家が書こうとしていたのは、まさにこういう「現実と地続きの世界で、非日常にして特異な謎が展開され、解決される」物語なのです。鮎川哲也だけがそうであったわけではありません。〝社会派推理小説〟の創始者と言われる松本清張の作品も、すべてではないものの初期作のいくつかはまぎれもなく、〝街角のイリュージョン〟を垣間見せてくれる作品です。そこには館も孤島も雪の山荘もでてきません。でも、我々が暮らすこの日常と言われる世界にも、さまざまな謎と陥穽(かんせい)が満ちている。そう気づかせてくれる作品を書いています。

2

これは鮎川哲也や松本清張を論じようとする文章ではありませんから、〝本格ミステリ冬の時代〟に戻ります。いったい、この〝冬の時代〟というのは具体的にいつからいつまでを指しているのでしょう? 芦辺拓の文章では「鮎川哲也が生き抜いた時代」とありますから、昭和三〇年代から四〇年代を指すのでしょうか? しかし、例えば「綾辻行人がデビューするまで本格ミステリは長く受け入れられなかった」という主旨の文章をあちこちで見かけますから、一九八〇年代前後までそうだった、と思っている人が多いような気もします。

そこで、日本の推理小説の歴史を、本格ミステリの流れを中心に、簡単に振り返ってみることにしましょう。戦前から振り返るとなると大変ですし、わたしの力を超えているので、戦後から始めます。なお、以下の文章は多くを、中島河太郎の「推理小説通史」（『ミステリ・ハンドブック』収録）や山前譲の『日本ミステリーの100年』（光文社知恵の森文庫）、江戸川乱歩の『探偵小説四十年』などに負っています。

■昭和二〇年代

昭和二〇年代は横溝正史と戦後派五人男の時代です。疎開先の岡山で書いた『本陣殺人事件』からはじまる横溝正史の作品群は、我が国の長篇本格探偵小説の時代の幕開けとも言えるものでした。続いて雑誌《宝石》を中心に登場した戦後派の新人たち、特に五人男といわれた高木彬光、山田風太郎、島田一男、香山滋、大坪砂男が精力的な活躍をします。この中で、いわゆる「本格」派は高木彬光だけでしたが、ほかに戦前からの一家をなしていた角田喜久雄が『高木家の惨劇』などの長篇を執筆し、一般文壇から坂口安吾が『不連続殺人事件』で参入し、昭和二〇年代前半は長篇本格探偵小説の時代と言ってもいいと思います。

しかし、昭和二〇年代後半になると、横溝正史をのぞいては全体に国内の創作は低迷し、そのかわりに翻訳ミステリが活況を呈しました。新樹社、雄鶏社、早川書房、日本出版共同などがきそって叢書を刊行し、《宝石》も長篇の一挙掲載を数多く行います。昭和三〇年代に入って東京創元社が参入し、さらに《エラリイ・クイーンズ・ミステリ・マガジン》（ＥＱＭＭ）日本版をはじめ翻訳ミステリ専門誌が三誌も登場して、この翻訳ブームは昭和三〇年代後半まで続きます。

■昭和三〇年代

一方、創作の方も、翻訳ブームに刺激された一般文壇作家が関心を示し、好んで推理小説的な趣向を作品に取り込むようになります。昭和三二年から《宝石》の編集を引き継いだ乱歩は、これら推理小説に関心のある作家たちに積極的に依頼していきます。また、昭和二九年に制定された江戸川乱歩賞が昭和三二年から一般公募による新人賞にかわり、ここから仁木悦子（にきえつこ）、多岐川恭（たきがわきょう）、新章文子（しんしょうふみこ）、陳舜臣（ちんしゅんしん）、戸川昌子（とがわまさこ）、佐賀潜（さがせん）らが登場しました。このうち仁木悦子、多岐川恭、陳舜臣の受賞作は本格推理小説ですし、仁木悦子と陳舜臣は名探偵も創造しています。

これと並行して、昭和三〇年に「張込み」を書いた松本清張は、引き続き推理小説に取り組み、翌年には早くも短篇集『顔』を上梓。さらに昭和三二年から連載がはじまった『点と線』『眼の壁』が刊行されるや、たちまちベストセラーになり、ミステリは戦後第二の、そしてかつてないブームを迎えます。これが俗に言う〝社会派推理小説の時代〟です。

日本社会は戦後の混乱期を抜け出し、成長期に入っていました。急速に進歩を遂げた〝社会の歪み〟が作品に取り込まれていくのは必然と言えるでしょう。清張に続いて有馬頼義（ありまよりちか）、水上（みずかみ）

勉（つとむ）、黒岩重吾（くろいわじゅうご）らが社会的なテーマを扱った推理小説を書き、黒岩と水上が連続して直木賞を受賞したことで、社会派推理小説はいっきに注文殺到したようです。昭和二〇年代にはまだ顕著だった〝怪奇幻想趣味〟は急速に力を失い、現実的な、あるいは都会的な舞台設定の作品が中心となります。

では〝社会派推理小説の時代〟はいつまで続いたのか。

短く見れば昭和三〇年代の終わり、せいぜい昭和四〇年の初めというのが、一般的な通史の記述です。昭和三七年（一九六二）には早くも笹沢左保（ささざわさほ）が「新本格」宣言をしています。これは、従来の謎解きだけでなく、それにロマン性と社会性を加え、人物の設定にリアリティをもたせた本格推理小説の提唱です。さらに昭和四一年（一九六六）には松本清張が「新本格」を提唱します。

> 正直にいって、この時期に推理小説はその本来のあるべき性格を失いつつあった。（中略）今や推理小説は本来の性格に還らなければならない。社会派、風俗派はその得た場所に独立すべきである。本格は本格に還れ、である（「新本格推理小説全集に寄せて」）

胸の空くような本格礼賛です。これで〝社会派の時代〟は息の根をとめられたと見ていいでしょう。ですから〝社会派推理小説の時代〟はせいぜい五、六年、長く見て十年というところです。社会的なテーマを扱った作品はそれ以後も書かれましたし、現在も書かれていますが、それを《社会派》としてくることはなくなりました。

では、その〝社会派推理小説の時代〟、つまり昭和三〇年代には本格ミステリは書くこともはばかられる状態だったのか。

そんなことはありません。鮎川哲也は昭和三〇年代を通して一流作家であり続けました。書下ろし全集の企画が持ち上がるたびに、鮎川は名前を連ねています。前期の乱歩賞作家のほかにも土屋隆夫、結城昌治、笹沢左保、佐野洋、天藤真、都筑道夫らがこの時期登場し、本格推理小説の名作を数多く上梓しています。各々が芦辺拓の言う〝街角のイリュージョン〟を求めて、さまざまな試みを行いました。

『日本ミステリーの100年』の一九六〇年の項には「新鋭の登場で日本ミステリーも作品的にずいぶんと多彩になった。かといって本格推理が衰弱したわけではない」と述べられていますし、一九六一年の頃には「日本ミステリーの黄金時代と言えるこの年」とあります。冬の時代どころか、百花繚乱、まさに未曾有の〝推理小説の黄金時代〟だったのです。

### ■昭和四〇年代前半

しかし、いつまでも〝黄金時代〟は続きません。昭和三〇年代末からブームに陰りが見えてきます。

ミステリー・ブームはさまざまな作家を生み出し、あたかもブラック・ホールのように貪欲に作品を飲み込んでいったが、それはミステリーとしての特殊性を薄めていくことにもなった。ミステリーの拡散化がブームの終焉を導こうとしていたのだ。（『日本ミステリーの100年』一九六三年の項）

この当たりの事情は、一九七〇～八〇年代にかけてのSFブームの拡散と終焉に似ているでしょうか。《宝石》が廃刊した昭和三九年から昭和四〇年代前半は、日本ミステリの沈滞期と言えそうです。

昭和二〇年代後半の創作の低迷を救ったのは、翻訳ミステリのブームでした。昭和四〇年代前半の沈滞期を救ったのは、リバイバル・ブームです。

昭和四三年（一九六八）十二月に小栗虫太郎の『人外魔境』を刊行した桃源社が、翌年から戦前の探偵小説を次々に出していきます。これと並行して講談社が『江戸川乱歩全集』を、三一書房が『夢野久作全集』と『久生十蘭全集』を、立風書房が『新青年傑作選』をスタート。さらに昭和四五年（一九七〇）には『横溝正史全集』『角田喜久雄全集』『木々高太郎全集』が、昭和四六年（一九七一）には『浜尾四郎全集』『山田風太郎全集』と、こちらの懐具合を無視して出版され続けます。

復刊されたもののすべてが歓迎されたわけではなく、従来のオーソドックスな潮流からみれば、いわば異端といえそうな作家や作品への関心が強かったことを見ても、単なる旧探偵小説への思慕ではなかったことが窺われる。(「推理小説通史」)

あまりにリアリズム中心になってしまった、現代ミステリーへの反動は間違いなくあっただろう。高まっていた学生運動は、一月の東大安田講堂封鎖解除をきっかけに警官導入が相次ぎ、鎮静の方向に向かっていた。現実への落胆が、ロマン溢れる探偵小説へとはしらせたのかもしれない。(『日本ミステリーの100年』一九六九年の項)

それでも新作の本格推理小説は書かれ続けています。昭和四〇年代に入ってからの新人はトリックにこだわる人が多いのが特徴です。斎藤栄(昭和四一年デビュー)はストーリーとトリックを渾然一体化せしめた《ストリック推理小説》を宣言していますし、海渡英祐(かいとえいすけ)もまた、昭和四二年(一九六七)の乱歩賞受賞作『伯林――一八八八』で、森鷗外(もりおうがい)を密室殺人に遭遇させます。森村誠一は乱歩賞受賞作『高層の死角』(一九六九)から精力的に、アリバイ崩しや密室犯罪満載でサラリーマンの熾烈な世界を描き、大谷羊太郎(一九六八年デビュー)は芸能界を舞台に密室トリックにこだわり続けます。そして昭和四三年(一九六八)には都筑道夫がモダン・パズラーの傑作《なめくじ長屋捕物さわぎ》に着手しています。

## ■昭和四〇年代後半

「新本格推理小説全集」から三年、ようやく新しい本格のムーブメントが見えてきた。
(『日本ミステリーの100年』一九七〇年の項)

振り返ってみれば、一九七〇年代に入ったこの年から、日本ミステリーは右肩上がりの成長を二十世紀が終わるまでつづけたのだった。(『日本ミステリーの100年』一九七一年の項)

昭和四〇年代後半から、日本ミステリ界は沈滞期を脱し、活気に溢れてきました。それを先導したのが昭和四〇年代前半に登場した新人本格推理作家だという見方もできます。

都筑道夫の『黄色い部屋はいかに改装されたか?』が書かれたのはこの時期です(昭和四五年~四六年(一九七〇~七二)にかけて連載、昭和五〇年に刊行)。

考えてみると、戦前は怪奇小説、異常小説が主流で、戦後にやっと本格が主流になったと思ったら、犯罪小説に追われてしまったのですから、日本の推理小説はあわれなものです。

これは『黄色い部屋はいかに改装されたか？』の最終章に出てくる都筑のなげきです。都筑がここで「推理小説」と言っているのはパズラー＝本格推理小説のことですが、これは本格が発表しづらかったと言っているのではありません。昭和三〇年代の日本ミステリの主流が犯罪小説（スリラー）だったことは、間違いありません。しかし、当時、本格だって出版されていました。出版されてもなかなか読者の人気があつまらない、あるいは本来あるべき論理中心の作風が日本に根づかないことへの、都筑の苛立ちです。

都筑道夫の目には、この時期に登場した日本の新人作家たちは、黄金時代の本格、または日本の戦後まもない頃の本格に逆戻りしていると見えたようです。外見だけ新しい衣装をきせて、その実、中身は古くさいトリック小説ではないか、と不満を漏らしたのです。トリック作りにばかり憂き身をやつして、肝心の論理を忘れている、戻るならポオまで戻れ、というのが都筑の主張でした。都筑はその打開策として名探偵復活を提唱しました。論理的な人物を主役にもってくれれば、不自然なトリックばかりが横行することはあるまい、と考えたわけです。

どちらにしろ、この時期にも「本格ものを書いたらデビュー出来ない」などということはありませんでした。むしろ、本格ミステリ的な味付けをしたほうが、デビューしやすかったのではないかと思います。

都筑の名探偵復活論は、一九七三年あたりから現実のものになります。神津恭介や陶展文の再登場、西村京太郎（にしむらきょうたろう）の十津川警部の登場はこの年です。翌七四年にはついに金田一耕助が『仮面舞踏会』で復活しました。

## ■昭和五〇年代以降

リバイバル・ブームは文庫に移行し、昭和五〇年代前半（一九七五〜一九八〇）には角川文庫の横溝正史ブームを中心として、昭和二〇〜昭和三〇年代の主要なミステリが文庫で復刊されます。これは翻訳ミステリにもおよび、ハヤカワ・ミステリ文庫が一九七六年に発刊されるや、長らく絶版だった海外の名作が簡単に読めるようになります。わたしはこの時代にミステリを読み始めたのですが、新旧を問わず、国内外のあらゆるジャンルのミステリが毎月読み切れないぐらい文庫で出版されていたのです。もちろん、本格だけが冷遇された事実はありません。国内では横溝正史をはじめとして高木彬光、鮎川哲也、土屋隆夫、仁木悦子たちが、海外ではクリスティ、クイーン、カーたちが日常的に読めるようになりました。

さらに一九七五年には雑誌《幻影城》が創刊されます。この新人賞から泡坂妻夫、連城三紀彦ら新しい本格の書き手が登場しました。赤川次郎や山村美紗も登場し、笹沢左保もミステリに復帰。いずれも本格に情熱を燃やしています。この頃から本格系の新人作家はシリーズ・キャラクターをもつようになります。

一九八〇年代に入ると冒険小説の時代が始まります。船戸与一、谷恒生、谷克二、伴野朗、森詠、逢坂剛らが話題作を次々と発表します。島田荘司が『占星術殺人事件』（一九八一）でデビューしたのはそういう時代です。

綾辻行人が『十角館の殺人』（一九八七）を発表した頃も、冒険小説はまだ活況を呈していましたが、泡坂妻夫、連城三紀彦、夏樹静子、内田康夫、梶龍雄、西村京太郎、山村美紗、赤川次郎たちも活躍していました。彼らの作品の多くは本格ミステリとしか言いようがありません。

3

簡単にと言いながら、ずいぶん長く書いてしまいましたが、これが「新本格」が登場するまでの日本ミステリの大まかな流れです。本格ミステリは戦後を通じて、つねに書き続けられました。個々の作品の出来云々はとりあえず棚上げにして、「本格」と呼ばれる作品が絶えず出版され続けたことは事実です。ですから、「作家が書くことをはばかられ、出版社も眉をひそめる」というような意味での〝本格ミステリ冬の時代〟はありません。

「本格はマニアにしか需要のない商品」といった先入観が、読者よりもむしろ作家や出版社の間に深く巣くっていたからで、近年のブームにしても本格ミステリーが広範な読者層を獲得できることを若い作家達が実作で証明できなかったら、状況は変わらなかったかもしれない。

これは高木彬光の『刺青殺人事件』（ハルキ文庫）の碓井隆司による解説の文章です。出せば売れたはずなのに、作家や出版社がそれに気づいていなかったかのような発言で、同意できません。「本格はマニアにしか需要のない商品」というのは先入観ではなく事実でした。本格は書き続けられ発表され続けたのに、そしてすぐれた作品も多かったのに、それほどは売れなかったのです。売れないにもかかわらず、作家は情熱をもって本格を書いていたのです。

「しかし、それは僕たちの読みたい本格ではなかった」という意見なら、とりあえずわたしも納得しましょう。新本格系の作家たちが好むような館ものや孤島ものは、確かに新本格以前にはほとんどありませんでした。ですから〝館もの冬の時代〟はあったかもしれません。しかし、そもそも〝館もの春の時代〟なんてあったのでしょうか？

〝名探偵冬の時代〟はあったと思います。昭和三〇年代が、おおむねそれにあたります。そして、〝名探偵冬の時代〟をそのまま〝本格ミステリ冬の時代〟と言うべきではありません。それでは「本格ミステリ」の本質を見誤ることになり、「本格ミステリ」の発展にとって望ましくないからです。

森英俊の『世界ミステリ作家事典【本格派篇】』の序文にこうあります。

今日までに出版されたミステリのうちでその占める割合がもっとも多く、現在でもミステリのジャンルとしては最多の出版点数を誇っているにもかかわらず、この本格ミステリほどくり返し衰退が叫ばれてきたジャンルもない。（中略）

アメリカの黄金時代の本格物はおおむね謎解き一辺倒で、そのために行き詰まってしまったが、同時代のイギリスの本格派ははるかに多様性にとんでいた。一九三〇年代なかばに入ってからは、謎解き派と、セイヤーズやアリンガム、H・C・ベイリーのような物語性をより重視する作家たちとの、二大勢力が拮抗し合っていた。そして、この両者が今日にいたるまでの本格ミステリの大きな流れを形作ったことは、まぎれもない事実である。

江戸川乱歩はその名著『幻影城』（一九五一）のなかで、探偵小説のおもしろさの条件として、出発点における不可思議性、中道におけるサスペンス、結末の意外性の3つを挙げている。これはいうまでもなく狭義の本格ミステリ観に立脚したもので、乱歩の存在があまりにも大きかったために、本格ミステリといえばこういったタイプのものであるというイメージが植えつけられてしまった。それに加えて乱歩は、あまりにもトリックの創意ということを、作品評価の基準に置きすぎていた。

編者の場合は、現代の英米のミステリ評論家の多くがそうであるように、本格ミステリを広義のものとしてとらえている。これだけ本格ミステリを読みつづけていても飽きがこないのは、本格ミステリがほかのどのジャンルにも増して多様化しているからであり、イギリスが一九八〇年代の終りから本格ミステリの戦後の最盛期を迎えているのも、この多様性があればこそである。

森英俊がここで「本格ミステリ」と言っているのはディテクディヴ・ストーリイ（探偵小説）のなかの一ジャンルではなく、ディテクディヴ・ストーリイそのものを指していると思われます。本格とそれ以外という区分や、細部のジャンル分けには異論があるものの、その主旨にはおおむね賛同できます。

〝本格ミステリ冬の時代〟があったと声だかに言う人たちの「本格ミステリ」観は、このアメリカの黄金時代の本格物なのでしょう。アメリカの黄金時代の本格物の多くが、イギリスのカントリー・ハウスものを不自然に取り入れた作風だった点も、新本格に似ています。

しかし、こういう現実から乖離した作品は、本来の「本格ミステリ」の流れから言えば実は異端なのです。先に述べたように、横溝正史は本格物を書くときはリアリティを無視していません。リアリティを無視した作風は、むしろ変格探偵小説にこそありました。新本格系の作家たちが敬愛してはばからない鮎川哲也にしろ、地に足のついた本格を書き続けた作家です。

しかし、いまネット検索すると、「社会派推理小説」は「刑事がこつこつとアリバイ崩しをするタイプの小説」とか、「本格ミステリ」とは「トリックをつかった小説」などという、まったく勘違いの説が流布されています。それも、言葉の定義としてあげられているのです。これでは鮎川哲也もうかばれません。乱歩が、中島河太郎が、無数のミステリ作家たちが守ろうとした伝統が、崩壊してしまいます。

新しい本格ミステリのスタイルを探ろうと思ったら、正しい歴史の知識が必要です。自分が好きではないタイプの本格ミステリは「本格」ではないことにして、「本格は長らく冬の時代だった」と決めつけてしまったら、本格ミステリに発展はありません。それこそ、ほんとうに冬の時代になってしまうでしょう。

## 補遺

「本格ミステリ冬の時代」があったのか、なかったのかが議論される時、この文章が引き合いに出されることがある。わたしがこれを書いてから、すでにかなりの年月がたったので、もし新たにこの文章を読むかもしれない人のために、若干の注記を入れておく。

多くの方が誤解しているようだが、わたしは「本格ミステリ冬の時代」が全くなかったとは思っていない。

個人的な「本格ミステリ」への飢餓感ということであれば、まちがいなく、わたしはそれを経験した。わたしは昭和三一年（一九五六）生まれだ。中学から高校にかけて、主に海外の黄金時代の（いわゆる古き良き時代の）本格ミステリを一通り読み終わったあと、さて、現代日本のなかにそうしたテイストの作品を求めた時、まったくなにもない砂漠に置かれたような状況に、「ああ、こういう謎解き小説は、もうどこにもないんだなぁ」と、絶望にかられた思い出は、はっきりとある。

当時の日本のミステリ（おもに推理小説と呼ばれていた）に書かれたサラリーマンの悲哀だ

とか、出世競争だとか、社会問題だとか、愛憎劇だとか、とにかくそういったドロドロした生活臭が表に出るような小説は願い下げだった。現実的な諸問題はすべて、物語の中であっても、出てきてほしくなかったのだ。中学から高校にかけてのわたしは、現実ばなれしたものにしか「リアル」を感じ取れなかった。

謎解きだけを求めていたわけではなかったと思う。謎解き以外の要素として、生々しい「現実」が顔を出すのが嫌だったのだ。ミステリに求めていたものは、謎解きと同時に、遊びの要素、洒落っ気であった。だから、都筑道夫作品にあるような蘊蓄(うんちく)などは、楽しかった。結城昌治や佐野洋も面白かった(もちろん、今ではそれらの作品にも当時の「現実」が反映されていたことは理解している)。

いま思えば、当時の推理小説の主たる読者はサラリーマンだったし、時代風潮はリアリズム中心だった。マニアや学生向けの作品は、まだ市場が成熟していなかった。「本格ミステリ」がなかったのではなく、サラリーマン向けに書かれた「本格ミステリ」ばかりだったのである。

しかし、求める作品が、探し出せる範囲になかったのはたしかだ。だから飢餓感をもつ。中学生、高校生の探し出せる読書範囲なんて、ネットなどない頃には、じつに微々たるものだった。実際には一九六〇年代末からリバイバル・ブームが起っていたのだが、当時の中学生の目につく範囲にはまだなかった。

「(ミステリ・マニアにとって)当時の日本ミステリのほとんどが面白くなかった」と主張する人がいるならば、わたしも同意見である。「「本格ミステリ冬の時代」はあったのか」の中で、

「個々の作品の出来云々はとりあえず棚上げにして」と書いているのも、そういうことだ。

しかし、わたしがこれを書いた頃（二〇〇三年十一月）、ネットで若い人の文章を読むと、本格ミステリには「冬の時代」があった、そして、「冬の時代」になった直接の原因は社会派の台頭であった、という歴史の流れを、何の疑問ももたずに受け入れていた。個人的な飢餓感は別にして、日本のミステリ史を冷静に振り返ってみれば、それは、ちょっと違うんじゃないの、というのが、「新本格」登場以前からミステリを読んでいた一ファンの正直な感想だった。

＊

二〇一二年五月に、ツイッターで笠井潔と巽昌章（たつみまさあき）が、「本格冬の時代」を当時の時代風潮と関連させて考察している。この中で巽昌章は「本格冬の時代」と当時の時代風潮を以下のようにまとめた。

1　冬の時代の存否をめぐる議論は、いちおう、「現実離れ」「お化け屋敷」を好むか否かによって左右されるといえる。
2　しかし、単なる趣味の違いですまされないのは、リアリズムへの同調圧力が働いていたのではないかという点である。
3　クローズドサークルや名探偵や連続見立て殺人といった意匠自体が本格の「伝統」だとはいえず、たとえば、新本格によって過去の伝統が作り直されるといった倒錯も生じる。

4　したがって、連綿たる本格の伝統が社会派によって中断され、新本格で復興したなどというのは単純すぎる史観である。

5　また、冬の時代の要因としては、社会派よりも戦後の海外ミステリを手本とした進歩主義の影響が大きい。

6　「現実離れ」への抑圧、リアリズムへの同調圧力があったと思う。

7　冬の時代の第二の意味として、推理小説がなぜトリックや論理を内にはらんだ存在なのかという意識の欠如を挙げたい。

この考察は見事である。5、6に関してなら、国産ミステリよりも英米ミステリを上位に考え、それに則った「進歩史観」は、作家だけでなく、わたしを含む当時のミステリ・マニア（の一部）にも確かにあった。「「本格ミステリ冬の時代」はあったのか」も、その史観で書かれている。

（二〇一二・八・一五記）

# なぜ戦争映画を見ないか

丸谷才一

丸谷才一（まるや・さいいち、1925―2012）

『笹まくら』『たった一人の反乱』『樹影譚』などで知られる作家であると同時に『忠臣蔵とは何か』ほかの文芸評論でも著名。ジェイムズ・ジョイスをはじめエドガー・アラン・ポオ、グレアム・グリーンなどの訳業もある。福永武彦、中村真一郎とともに日本語版EQMMに連載されたエッセイを集めた『深夜の散歩』については、瀬戸川猛資の「かくも予見的なのは、著者たちが海外ミステリをきちんと文学としてとらえていたからだった」という指摘につけくわえることはない。本書に収めた二篇は社会派とは何だったのかについての再考を迫るもの。『快楽としてのミステリー』所収の「父と子――松本清張」も併読をおすすめする。

初出＝映画評論一九六三年十月号／底本＝佐藤忠男・岸川真編『「映画評論」の時代』カタログハウス二〇〇三年

社会派推理小説というものを、ぼくは好まない。断って置くけれど、ぼくは探偵小説を読むのが、決して嫌いなほうじゃない。アガサ・クリスチーとか、E・S・ガードナーとか、レイモンド・チャンドラーとか、エリック・アンブラーとか、ディクソン・カーとかいろいろさまざまな型の探偵小説を愛読している。何も英米ものしか読まないわけではなく、たとえばカトリーヌ・アルレーも、ボワロ・ナルスジャックも、そして大御所ジョルジュ・シムノンも——つまりフランスの探偵小説だって好きだ。それから、ドイツ語で書くスイスの探偵小説作家、デュレンマットだって好きだ。それからまた、何も欧米ものでなければ読めたものじゃないなんて言うほどうるさいたちじゃないから（ウイスキーだって、ぼくにはサントリーが結構おいしい）、多岐川恭や結城昌治の書いた探偵小説は楽しみにして読む。この場合には、クリスチーやチャンドラーとは違って当たりはずれがあるけれども、まあそれは仕方がない。

とにかく、そんなふうに、ぼくは探偵小説の愛読者であると言えるだろう。いや、「愛読者」などと思っているのはぼくだけで、世間ではひょっとしたら、ぼくの肩書きの一つとして探偵小説評論家というのもくっつけているのかもしれぬ。探偵小説関係の雑文もかなり書いている。

そのなかのあるものは、近く早川書房から、福永武彦・中村真一郎の両先輩と共著の形で、本になって出る。題は『深夜の散歩――ミステリの楽しみ』というのだ定価は……まあ、そんなことはどうでもいい。

ぼくは、一言にして言えば、探偵小説ぎらいでは決してないのに、今の日本で大流行の社会派推理小説は嫌いだ。

その理由はいろいろあるだろう。たとえばあの流派の作品に共通している、むやみに暗くて凄んでいて深刻ぶっている色調。あれがまず馬鹿々々しい。貧乏人の愚痴めいた、哀れっぽい感じや、どうです私はこれだけひがんでるんですよと押売りするみたいな、芸としてのひがみも厭だ。優雅とか洗練とかを病的に恐れているらしい、趣味の狭隘さも気にくわない。

まあその他いろいろ理由はあるけれども、しかし最大の理由は、小説における殺人の位置ないし意味とでも言うような点である。ぼくの眼から見ると、社会派推理小説では、なぜ殺人が必要なのかよく判らないのだ。

それは愚劣な質問だと読者は呆れかえるだろう。探偵小説ではまず冒頭に死体がころがっている。それが約束ごとだ。あるいは話の真中へんで、あるいは話の終り近く、死体があらわれることになる。それが約束ごとのヴァリエイションだ。だから殺人がある。それは当たり前の話ではないかと読者はけげんな顔で言うだろう。

だが、ちょっと待ってほしい。ぼくはもうすこし違うことを言っているのだ。つまり、約束ごとを支えるものについて語っているのだ。ぼくは一般に、芸術において約束ごとを重視している。が、それだけ約束ごとの使い方に対する要求はきびしい。つまりそれは芸術作品の内部において有機的に位置づけられていなければならない。その点で、社会派推理小説における殺人はじつに安易だと考えるのである。

例をあげて説明しよう。そして、下らない作品を例にとって攻撃するのは卑怯なことだから、人々があれだけ熱狂的な讃辞を献げ、そしてぼくもある意味でかなり高く評価している作品を例にとろう。つまり水上勉の『雁の寺』である。

『雁の寺』はすぐれている。しかしぼくに言わせると、あの作品ですぐれているのは京都の古刹の情景描写だけである。それは、単調な描写ではあるけれども、しかし、たしかに古い歴史を背後に持つ寺が実在していることを読者に納得させる。そのことには敬意を表してもいいだろうし、事実、人々は感嘆した。が、あの作品はそのようにして舞台装置を提出することはできたけれども、しかしドラマそれ自体を提出することはできなかったのである。そこには人間関係のドラマはなかった。水上はただ、人間関係のドラマを予期させることによって、前兆によってドラマを暗示することによって、しかしまず何よりも舞台装置を入念に作りあげることによって、ドラマの代用品を提示した。

もちろん代用品はしょせん代用品にすぎないし、優秀な読者にはそんなことぐらいすぐに判ってしまう。そして水上自身そのことによく気がついていたのである。それゆえ、ドラマの欠如を補うものとして、つまりドラマの代用品の最大のものとして、あの殺人が用意されるのだ。それは、弾薬の不足をけどられまいとして撃ちまくる空砲の音に似ている。

そしてまずいことには、その単なる空砲にすぎない殺人が、これまでの自然主義的な色調のせいで重い意味を帯びてしまうのである。クリスチーやチャンドラーの場合の殺人ならば、それは人工的な世界の約束ごとにすぎない。ぼくたちはその死体の流す血を、生身の人間の流す血液としてではなく、いわば俳優の使う血のりとして、軽い気持で見ていることができる。が、ここではもっと直接的な意味を帯びてしまう。それは、殺人と人間性との関係についてぼくたちが考えることさえ要求するのである。つまり、倫理的な課題がぼくたちへとつきつけられるのだ。

それゆえ『雁の寺』は純文学的な作品なのだと、この作品をほめたたえる人々は言うだろう。が、ぼくに言わせるならば、『雁の寺』は、倫理的な事柄を考えさせるようなふりをしながら、しかし作者自身がそれに対していささかも責任をとらず、結局のところは、「社会派推理小説」の枠のなかへ逃げこんで身の安全をはかっている故に、倫理的でない作品なのである。それよりはむしろ、最初から最後まで娯楽読物として書かれている普通の探偵小説のほうが遥かに倫理的なのだ。それは有益ではないにしても、すくなくとも無害なのである。

このような、ドラマの欠如を補おうとして無理やりに導入した道具が、思いがけない大きな意味を持ってしまって、その結果、その作品を楽しめないものにしている例を、ぼくはほとんどすべての戦争映画に見出すことができる。

言うまでもなく、戦争は、極限状態をこさえあげるにはじつに都合のいいものである。そこ

った話だ。では、日常的な世界はめちゃめちゃに崩壊する。ドラマチックな状況が出来あがるのは判りき

このことは、殊に日本においては重要である。日本の社会は極めて奇怪な構造を持っていて、そこには市民社会も成熟していないし、さりとて市民社会の掟の外にあるわけでもない。こういう一種の未成熟が、小説を書きにくくし、映画を作りにくくしている。つまり日本の社会では見せかけのドラマはあるかもしれないけれども、真のドラマは存在しにくいのである。

が、それにもかかわらずドラマを、それも安易な気持でドラマを作ろうとするとき、戦争にとびつくのは当然のことであろう。戦争のときならば、登場人物たちは、あの日本的な遠慮にみちあふれた、うじうじした態度を捨てて、自己を敢然と主張するしかなくなる。すくなくとも、そういう人物が現われても、さほど不思議ではない。戦争のときならば、登場人物たちが、あの日本人特有の照れくさがりを捨てて、死とは何か、生とは何かというような観念的な台詞を口にしてもさほどおかしくない。それにまた戦争のときならば、そこでは平時の秩序はまったく乱れてしまっているのだから、さまざまの職業、さまざまの身分の人間が一つところに集まって人間的な交渉を持つことも可能である。日本の社会の枠組は非常にしっかりしていて、異った職業、異った身分の者のあいだに交渉を持たせることは極めて困難である。日本人はむやみに遠慮ぶかく、引込み思案なのだ。そして戦争はそういう日本人の生活法を変えてしまう。

ちょっと思いついただけでも、このくらい戦争はドラマを作ることに有利なのである。まだまだほかにもいろいろと、便利な点は多いだろうし、今ぼくがあげた幾つかの点も、更にこま

かく分けることができるはずだと思う。

そういうわけで、戦争映画はじつにたくさん作られることになった。しかし、戦争という人間にとってじつに重い意味を持つもののその重さを、容易に除外して、いわばドラマ作りの技術上の必要物としてのみ戦争を導入することが可能であると考えているような、そんな態度で、おおむねの戦争映画は作られているような気がする。つまり戦争映画の監督たちは、戦争についてまじめな態度でのぞんでいない。ぼくにはやはりそのことがやりきれない。

と言うとき、ぼくはやはり、自分が戦争の世代に属していて、戦争の悲惨ということを身にしみて知っているからこそこんなふうに考えるので、もしもっと若い、戦争について体験的に知っていない人々ならば、違ったふうに考えるのかもしれぬ、とも想像してみる。

だが、そういう面もすこしはあるかもしれないけれど、しかし世代論者的な考え方をあまり大きく持ち出すのはやはり考えものだろう。ぼくと同じ年頃の人々のなかにも、愚劣な戦争映画を見て楽しんでいる人々はけっこういるだろうし、ぼくよりずっと若い世代のなかにも、戦争映画についてぼくと同じような考え方をする人が多いのではなかろうか。問題なのはむしろ、世代よりも芸術的感受性だろうと思う。ある程度以上の芸術的感受性さえあれば、年令がどうであろうと、また、戦争を体験したことがあろうとなかろうと、現在の日本の戦争映画の不健全さはよく判るはずだと思う。

そこでは、人々が闘い、殺し、殺され、裏切り……しかもそのことの人間的意味は問われることがない。一切の問いかけは、ただ、それが戦争中の事件であり、戦場の場景であるという認識につきあたって停止される。そして、シナリオ・ライターたちや映画監督たちは、そこから戦争呪咀とか平和への決意とかとにかく何かとかいう立派なものを観客が勝手に思い描いてくれるだろうと想像している。

が、それは彼らのほしいままな願望にすぎないし、もっと都合の悪いことには、彼ら自身、内心ではそんなものを信じてやしないのである。彼らはただ、刺戟の強い見世物を作ろうとあがいているだけだし、ときどきそういう商業的な自己の良心を慰めるために、戦争反対とか、平和の白い鳩とか、ノーモアヒロシマとかつぶやくだけなのだ。そして、ぼくが戦争映画を見ていちばん厭なのは、そういう彼らの「良心的」な顔つきなのかもしれない。

それならばいっそ、「良心的」でない戦争映画がいい。人間的課題としての戦争などとは最初から縁のない戦争映画——つまり西部劇やチャンバラやギャング映画に似たものがいい。それならば、心も痛むことなく、不快感を味わうことなく見ることができるし、もしその出来ばえが優れていれば大きな喜びを味わうことができる。そしてそれはたしかに娯楽品にすぎないけれども、しかし、たとえばチャンドラーのような探偵小説を書くのが大変むずかしいように、あるいはそれ以上に岡本喜八(おかもときはち)の『独立愚連隊』のような映画を作るのは恐しいほどの才能を必要とすることなのである。

# 社会派とは何か

丸谷才一

初出＝推理小説研究五号一九六八年／底本＝権田萬治編『趣味としての殺人　日本推理評論集・実技篇』蝸牛社一九八〇年

探偵小説に社会派というものがあるそうですが、これは日本だけの現象ではないかと思います。そして、今の日本の探偵小説の話となれば、推理小説という言葉を使うほうがいいかもしれませんが、これはぼくの嫌いな言葉で使いたくない。ついでに言えば、社会派という言葉もあまり好きではありません。

写真のほうでは、社会科とか婦人科とか言っているようでありますが、ぼくの好みにはまだしもこのほうが合う。それに第一、社会科というのは昔で言えば地理と歴史でありますから、たとえば松本清張の地理趣味（『点と線』などそうであります）も歴史趣味（これはもう例をあげるまでもない）も、彼を社会科探偵小説の作家としてとらえれば、じつによく理解できるのである。婦人科は、これは梶山季之とか黒岩重吾で、戸川昌子は女医というわけだ。SFは理科なのか、それとも物療科なのか、何しろこの見立ては、学校と病院の二本立てなので、話がこんがらかっています。しかしこういう種類のことは、それこそSF作家が頭を使うには絶好の題目であるから、ぼくなんかが出る必要はない。……

社会派推理小説は日本にしかない、とぼくは言いました。

しかしこれは、じつのところ、英米やフランスの探偵小説はみな、ごく普通のものでも社会性があるという事情によるものなのです。つまり、日本で社会派うんぬんなんぞというレッテルを貼ったのは、それまでの怪奇趣味探偵小説の非社会性への、反動であった。ところが西洋ではごく普通の探偵小説にも社会性がある。これはなぜかといえば、つまり西洋では社会性がない小説などあり得ないからだと思うのですが、それをもうすこし掘り下げれば、西洋には社会があるからだと思う。近代市民社会があるから、ごく自然に、小説のなかにその市民社会があらわれてしまう。探偵小説にも出てしまう。そういう具合なのだと思います。

その近代市民社会がわれわれの日本にあるかと言われると、非常にむずかしいことになる。ぜんぜんないと答えるのは無茶なようですが、ヨーロッパそっくりの在り方であると答えるのもおかしい。まあその中間くらいのところ――つまりごく中途ハンパな感じで存在するのでしょう。

そして、むずかしいのは、その中途ハンパ性――フランスやイギリスでもなければインドやマレーとも違う社会を描く方法が、果して見つかっているかという問題であります。

実は、これは近代日本文学の歴史の最大の課題であった。そして、日本の探偵小説がこの課題に気がついたのは、ごく近頃のことだし、その気のつき方はまだまだ不充分だとぼくは思っています。

そして、結論を言ってしまえば、日本の探偵小説に社会派なるものがあらわれるのはその、日本の近代市民社会の中途ハンパ性に充分に気がつくときであって、しかも充分に気がついたときには、探偵小説はみな社会派になっていると思う。
そうなるまでは、社会科でいいのじゃないかと思います。

# 善人と怪物——北村薫『盤上の敵』

笠井　潔

笠井潔（かさい・きよし、１９４８―）

作家・評論家。一九七九年『バイバイ、エンジェル』で作家デビュー。以後、SFとミステリの実作・評論の両方で健筆をふるう。とくにミステリ評論は、『模倣における逸脱　現代探偵小説論』『ミネルヴァの梟は黄昏に飛び立つか？　探偵小説の再定義』など多数。独自の「大量死理論」や東野圭吾『容疑者Xの献身』についての評価をめぐってなど、新本格以降の謎解きミステリの作者・読者双方に大きな影響を与えている。

初出＝鳩よ！二〇〇〇年一月号・二月号／底本＝『徴候としての妄想的暴力　新世紀小説論』平凡社二〇〇三年

一九九九年度には、貴志祐介（きしゆうすけ）『青の炎』や天童荒太（てんどうあらた）『永遠の仔』など一九世紀的な内面や文学や人間性を疑わないタイプの読者に向けられた、「人間を描いたミステリ」の話題作が目についた。代表例として東野圭吾『白夜行』を最初に検討しておこう。

『白夜行』には二本の縦糸が織りこまれている。第一に唐沢雪穂という女の半生。第二に日本におけるパソコンの発達史。女の半生記ものや一代記ものは、近代小説のパターンとしてありふれている。モーパッサンには文字通り『女の一生』という長篇があるし、戦後日本でも一九五〇年代から六〇年代にかけて、この形式が流行した時期がある。たとえば有吉佐和子（ありよしさわこ）の『香華』は岡田茉莉子（おかだまりこ）主演で映画化された。多数の視聴者を獲得しているＮＨＫの朝の連続ドラマでは、今日でも女の半生記や一代記のパターンが反復されている。

作品の冒頭では、大阪にある質屋の店主が建築工事現場で殺害される。これを作者は一種の密室殺人として設定する。「今月初めに始まった第四次中東戦争」という記述から読者は、事件が一九七三年秋に起きたことを知る。雪穂は被害者の愛人とおぼしい女の一人娘で、このとき十一歳。被害者の息子である桐原亮司は雪穂の同級生だ。

大阪府警の笹垣刑事は十九年間、この事件を追い続けて最後に真相に達する。雪穂が女性事業家としてキャリアの頂点をきわめ、もう一人の主人公である亮司が警察に追いつめられて自殺するのは一九九二年冬のことだ。読者は十一歳から三十歳まで、雪穂の半生を追跡することになる。雪穂の陰には亮司の存在が見え隠れしている。

注目すべき点は、女の半生記ものとしては例外的に、ヒロインの内面が直接には描かれないところだ。いや、ある程度までプロットが進行しないと『白夜行』が雪穂の半生記であること自体、読者にはわからないように作品は構成されている。雪穂は第一章では質屋殺しの、第二章では女子中学生の拉致事件の関係者として、脇役的に描かれるにすぎない。

雪穂の周囲では質屋殺しをはじめ、母親の「事故死」、中学や大学の友人を標的とした「レイプ未遂」などの事件が次々と起こる。これらの事件は主として捜査員や被害者サイドの視点で物語られるのだが、雪穂の意図で惹き起こされていたらしいことが読者にもしだいに明らかになる。ヒロイン雪穂は人生というゲームに勝ち抜くため、競争者や邪魔者を排除するためには手段を選ばない冷徹で残酷な悪女のようだ。

他方、作品の中盤では桐原亮司に焦点が当てられていく。亮司もまた外側から、園村という友人の視点で描かれる。高校生の亮司は大学の研究室で作られていたゲームソフトを盗みだし、コピーを販売して利益をあげる。これを出発点としてパソコンショップ経営者という仮面に隠れながら、コンピュータ犯罪者の道に踏みこんでいく。しかし「スーパーマリオ」海賊版の制作販売に失敗して失踪し、いったん亮司は読者の前から姿を消す。

亮司が再登場するのは、密かに雪穂のために働く有能なクラッカーとしてだ。この時点で読者にも、ようやく『白夜行』という物語の全体像が見えはじめる。貧しい母子家庭の娘だった雪穂は、亮司を共犯者として殺人をふくむ犯罪を繰り返しながら社会的成功への階段を一歩、また一歩と登り続けてきた。しかし他人への同情心や想像力が性格的に欠けている、おのれの欲望や利害のために平然と犯罪を重ねる悪女の内面は、作品の終幕まで謎として残される。また、どのような絆が雪穂と亮司を結びつけ、あたかも女主人と下僕のような関係を支えてきたのかも。

十九年前の質屋殺しの真相という作品の冒頭に配置されたミステリ的な謎も、最後まで残されたままだ。笹垣刑事が突きとめた密室殺人の真相は、同時に雪穂という女の哀切きわまりない内面を説得的に提示し、さらに雪穂と亮司の濃密な精神的絆の正体をも暗示する。

亮司は雪穂の秘密と社会的成功を守るため、警察に逮捕されることを拒んで自殺する。亮司の墜死体を見下ろす雪穂は、「雪のように白い顔をして」いる。その「顔は人形のように表情がなかった」。

密室事件をめぐる犯行方法の謎と、動機をめぐる謎。ミステリ的な謎と、あるいは文学的であるかもしれない「人間」の謎を巧妙に絡みあわせ、終幕で一方が解明されると同時に、他方もまた明るみに出されるよう仕組んだ東野圭吾の作家的な手腕に、読者は感嘆するべきだろうか。

亮司の死の少し前に雪穂は述懐する。「あたしの上には太陽なんかなかった。いつも夜。でも暗くはなかった。太陽に代わるものがあったから。太陽ほど明るくはないけれど、あたしには十分だった。あたしはその光によって、夜を昼と思って生きてくることができたの」と。「太陽に代わるもの」とは、母子家庭の貧困につけこみ十一歳の少女の肉体を弄ぼうとした父親を工事現場で殺害し、以降の人生のすべてを雪穂のために捧げた亮司を、あるいは亮司の無償の愛を暗示している。

事件は解明され、「悪女」の半生記はコンピュータ犯罪者の半生記と接合される。しかし『白夜行』におけるミステリと「人間」の融合、作品の近代小説的な成功を無条件で礼賛するわけにはいかない。動機の解明において人間的実質を与えられたヒロインの像からは、キャラクターの時代的なリアリティが瞬時に剝落（はくらく）してしまうのだ。

このようにして「悪女」の内面が象徴化される結果、作品は予定調和の円環にはまり込んでしまう。犯罪者にも「人間の心」があるという、行儀のよい常識を再確認し、読者は安心して最後の頁を閉じることとだろう。

一九九〇年代を通じて、われわれは近代人としての常識が通用しない異様なまでに抽象的で残忍な犯罪事件の数々を、たて続けに目撃してきた。今日的な犯罪事件は現代人の存在の鏡でもある。人間のような顔をして無難に生きているが、われわれはもはや人間とはいえないグロテスクな存在に変質しているのではないか。このような懐疑と底のない自問を、『白夜行』をはじめとする「人間を描いたミステリ」は優しくなだめてくれる。しかし「こんなにもせつない殺人者」（『青の炎』の宣伝句）に涙腺をゆるめる読者の隣では、学級崩壊やひきこもりや思春期摂食障害が激増し、「せつない」内面など逆立ちしても想像できそうにないストーカー殺人者や通り魔殺人者が跳梁跋扈（ちょうりょうばっこ）している。個人的な感想かもしれないが、しみじみした読後感をもたらす『白夜行』や『青の炎』や『永遠の仔』のような「人間を描いたミステリ」と対照的に、北村薫『盤上の敵』の後味はよくない。不気味な小説を読んだという印象が残る。これまでの北村作品と読後感がまったく違うのだ。

北村薫は、貴志祐介との対談「ミステリー作家の心」で自作に触れている。対談の発言によれば、『盤上の敵』は「盤の中の物語であるという形にした寓話」である。たとえば第一部「駒の配置」は「第一章　黒のキングが盤上に置かれる」、「第二章　白のクイーンが話す」、「第三章　白のキングが話す」という具合にチェスを念頭においたタイトルの章で構成され、この様式は作品の終わりまで続く。黒のキングは強盗殺人犯の石割強治、白のクイーンは石割の人質となる末永友貴子、白のキングは友貴子の夫である末永純一。

第二部「序盤戦」以降は、白のクイーンをタイトルに冠した一人称で友貴子の回想を描く章と、強盗殺人犯に監禁されている友貴子を救うため奔走する純一の、白のキングの章とが交互に配列されている。しかし第一章の黒のキングとは異なり、黒のクイーンは最後まで章タイトルには登場しない。

中学一年生のときに友貴子は、同級生の兵頭三季に呼びだされリンチの被害にあう。高校に進学した友貴子は、三季に唆（そその）かされた少年たちに身体を蹂躙される。母親を失って心が「壊れ」かけた友貴子の愛犬クッキーまでを、三季は容赦なく惨殺する。精神的に崩壊寸前まで追いつめられた友貴子は、遠方の町に移住し書店員として働くようになる。たまたま売場で客の純一と言葉をかわし、ためらいがちに交際をはじめ、交際のなかで心を癒されて求婚を受け入れる。以上のような経過が白のクイーンの章では一人称で語られていく。では友貴子は、人生に禍々しい影を落としている三季という人物をどのように捉えているのだろう。

あの子の内には、《壊したい》という欲求があるんです。それで、――画家が、自分に合った運命的な素材を見つけたら、それに執着して、描き続けることがあるでしょう。徹底的に。

彼女にとっては、わたしが最高の素材だったのです。

対談で作者は「出てくる人は、普通の人間というより、例えば『兵頭三季』という一つの理念であり抽象的な」キャラクターであると強調している。章タイトルに黒のクイーンが一度も登場しないのは、作者があえて三季というキャラクターの心理や内面をブラックボックス化しているからだ。友貴子や純一をはじめ白の陣営の登場人物は、読者の感情移入が容易な「普通の人間」(を模した駒)である。「彼の電話で聞いたしゃべり方には、型にはまった不良っぽさがあった。石割は、今、意識してか無意識にか、そういう役を演じているように見えた」。黒のキング石割の愚昧で粗野で暴力的な性格は、必ずしも「普通の人間」の枠から決定的に逸脱しているとはいえない。しかし黒のクイーンは違う。

三季とは純粋化された「悪意」や「破壊」や「暴力」の理念が、人間の着ぐるみをまとった存在なのだ。黒のクイーンのキャラクター的な存在感は、「普通の人間」である他の登場人物に否応なく感じさせる禍々しい雰囲気と、三季の行為が友貴子など被害者の心に与えた傷の深さにおいてのみ際だつ。この作品で北村薫が「我々の心への信頼」や「当たり前の人間関係」を粉々に打ち砕き、跡形なく踏み潰す大文字の暴力を主題化しようとしたことは疑いない。人間を林檎にたとえて、ヒロインは「果肉は雪つぶての飛び散るようにはじけ、未来に繋がる種をも、抉り出され、粉砕されるようなことが、ごく日常的に行われています。人間がそれをしているのです」と悲痛な口調で語る。

作者は『盤上の敵』を、「盤の中の物語であるという形にした寓話」だと述べていた。「盤の中の物語」とは、ようするに探偵小説形式を意味している。白の陣営と黒の陣営による盤上の対戦。内面性を完璧に欠如した「悪」の理念を作中に登場させることは、近代小説の規範に従う限り不可能である。しかし探偵小説なら、あるいは可能かもしれない。「謎―論理的解明」という形式に厳格に規定された探偵小説作品では、犯人の内面に立ち入ることが原理的に禁じられているからだ。探偵役の場合も基本的にはおなじである。

悪をめぐる主題性と探偵小説形式にかんする方法意識の双方において、『盤上の敵』は『白夜行』と対極的な作品といえる。意図的に「悪女」の内面を描かない点で、両作が双子のように似ているぶん根本的な相違点が鮮明に浮かびあがる。

ここに『盤上の敵』という作品の最大のポイントがある。たしかに兵頭三季という登場人物は、読者に強烈な印象を与える。この強烈さは、純粋に理念化あるいは精神化（ガイスト）された悪の印象に由来したものだ。ようするに三季は幽霊（ゴースト）であって生身の人間ではない。他方で友貴子は「民族浄化」と称される組織的な大量虐殺や集団レイプを、無力に「死にたい」と呟くしかない自分の運命に重ねあわせる。

　白のキングの章は、一見したところ三人称のようだが実際は違う。主語一人称代名詞を省略した一人称なのだ。類例がないとはいえないが、不自然性は拭いきれない特殊な文体を作者が選んだ理由は、おそらく作品の構造と無関係ではない。白のキングの章の隠された主語である純一の「私」は、読者に決定的な隠し事をしている。「私」による「言い落とし（レティサンス）」を隠蔽するために、作者は白のキングの章から主語一人称代名詞を削除し、純一を視点人物とした三人称であるかのように擬態している。おなじ難題をクリアするため「手記」を「小説」のように見せる新手法をアガサ・クリスティは発明したが、『盤上の敵』の「私」を抹殺した一人称の文体は、このクリスティの試みに類比的である。

　白の駒と黒の駒が盤上で対戦する「寓話」は、反対側から盤面を見下ろしている作者と読者の勝負だったことが最後に判明する。白のキングが黒のキングに仕掛けるトリックは、同時に作者が読者に仕掛けたトリックなのだ。『盤上の敵』は、犯人のトリックを探偵役が論理的に解明する古典的な探偵小説（トリックの本格）ではないが、以上のようにプロットの本格に分類されるタイプの探偵小説である。

『盤上の敵』という作品の読後感の悪さや不快な印象は、兵頭三季という純粋の「悪」に由来していると言えるだろうか。おそらく、そうではない。悪の精神（ガイスト）＝幽霊（ゴースト）は人を戦慄させるにしても、皮膚に粘り着くような嫌悪感をもたらすとは限らないからだ。

　新婚の友貴子に、またしても三季が忍びよる。白のクイーンは自宅を訪れてきた黒のクイーンを花瓶で殴り殺し、殺人の記憶を失う。もしも殺人犯として扱われたら、友貴子の心は回復不能なまでに「壊れ」てしまうだろう。白のキングは術策を弄して黒のキングを殺害し、黒のクイーン殺害の事実を隠滅してしまう。しかし石割が同情の余地ない凶悪な強盗殺人犯だとしても、「壊れ」かけた友貴子の心を守る道具に利用され狡猾な手口で毒殺されてよいわけがない。石割を謀殺した純一は「やるしかなかったのだ。それが、自分の中にも、三季や石割がいることの証明かも知れない。そう思うとたまらない」と一応は自責し、次のように独白する。

　けれども、――友貴子の行為は、どんな神にも許される筈だ。でなければ、神の方が間違っている。それと重なる行為をし、その一点において、――誰にも出来ぬ形で友貴子と繋がった。

　ごまかしであろうと、そう信じよう。――そう信じれば、生きて行くことが出来る。

　白のクイーンの章で語られる友貴子の回想にかんし「人格分裂の問題などもある。そこから極論すれば、――《三季などいない》というグロテスクな解答すら、引き出せるかも知れない。困難な状況を合理化するために、憎むべき対象を、友貴子の心が造形した」可能性を純一は否定できない。

　しかも家の玄関で発見された女の撲殺屍体が、はたして友貴子の回想に登場する兵頭三季であるのかどうかさえ、読者には確実なことが判断できないのだ。提供されているのは、レイプ写真をめぐる曖昧な情況証拠だけである。作者が提供するデータから、読者は幾通りものストーリーを組み立てることができる。たとえば純一に電話してきた人物、妻のレイプ写真を郵送してきた人物は、三季とは異なる友貴子の古い友人かもしれない。心の病の再発を憂慮して夫に事情を知らせておこうと訪れた女性カウンセラーが、妄想にかられた友貴子に殺害されたという可能性もある。

　だが純一は「事実の詮索など、どうでもいいことに思えた。肝心なのは友貴子の主観だ。彼女が、そう思っている、ということだ」と都合のよい結論を導き、事実を確認するための努力を放棄する。純一は善人かもしれないが、妻を愛している自分にしか関心がない、きわめて無責任な人物である。「そう信じれば、生きて行くことが出来る」という安直な自己免罪の台詞もまた、純一の無自覚と無責任を読者に印象づける。

『盤上の敵』とは、無自覚な善人による完全犯罪の物語なのだ。三季は中学時代の傷害事件やレイプ事件の首謀者かもしれないし、石割は強盗殺人犯で住居不法侵入と監禁事件の犯人に違いない。しかし探偵小説の文脈でいえば、「犯人」役は善人の末永夫婦で、悪人の三季と石割は発作的に、あるいは計画的に末永夫婦に殺される被害者という配役になる。騙し絵のように、この作品では被害者と加害者が役割を交換するのだ。被害者と加害者の役割交替は探偵小説ではありふれた趣向だが、双子や顔のない屍体を使う代わりに北村薫は、「私」を消去した一人称や二重に意味が読める巧妙な文章を用いて読者を罠にかける。作者が仕掛けた最大のトリックが、チェスを模した白と黒の目くらましだろう。犯人＝黒の駒、被害者＝白の駒という読者の思いこみを前提として、作者は巧妙な騙しのテクニックを行使する。

純一と友貴子に感情移入した読者は、この夫婦が殺人「犯人」を演じるとは想像もしない。探偵小説の観点から見れば、三季が「悪」の理念の化身として登場すること自体、作者が仕掛けたミスディレクションである。悪の精神（ガイスト）＝幽霊（ゴースト）は「黒」で、黒のクイーン三季は犯人役に違いないと読者は思いこまされてしまう。

しかし『盤上の敵』では、巧妙に騙されたという快い読後感が残らないのだが、これは探偵小説としての完成度にかかわる問題ではおそらくない。ニーチェの警句に従うなら、『盤上の敵』とは深淵を覗きこんだ男女が怪物に変貌してしまう物語である。自分もまた怪物と化したのではないかという疑惑を、夫は妻の存在において打ち消し忘れてしまおうとする。「誰にも出来ぬ形で友貴子と繋がった」、「そう信じれば、生きて行くことが出来る」と。では、妻のほうはどうだろうか。

最終章「白のクイーンは夢見る」では、夫の指示に従って朦朧（もうろう）状態で殺人および死体遺棄の完全犯罪に協力した友貴子が、前後の事情が摑めないまま病院で「ベッドの上というより、どこかの静かな空間の中に浮いているようです。こんなに、気掛かりのない、のびのびとした気持ちになれたのは、子供の頃以来です」と思う。さらに「そうです。今、わたしとあなたは、

――桂の林の中にいるのです」という、夢見るように陶然とした呟きで『盤上の敵』という作品は終わる。

「桂の林」には伏線がある。中学生のとき、生物部の「《おじいちゃん》先生」が友貴子に、桂の林に漂う「砂糖が焦げるような」芳香のことを教えてくれた。「桂の林の中に、小人の台所があって、そこでお菓子が作られているような気になった」と友貴子は回想する。同時に「《おじいちゃん》先生」は、「シクトキシンとかシクチンとかが入っている」ドクウツギのことも生徒に教えたのだ。精神が「壊れ」かけた友貴子は、自殺するために「台所」で毒草を煎じる。この毒液をドリンク剤に混ぜて、純一は黒のキング石割の毒殺に用いる。芳香の漂う桂の林にはドクウツギも生えている。「小人の台所」では「お菓子」だけでなく毒草も煎じられているのだろう。

桂の林にまつわる恍惚とした友貴子の夢想には、裏側にグロテスクなものが貼りついている。「子供の頃以来」はじめて味わう解放感は、自分の手で三季を撲殺した結果なのだ。しかも手を汚した事実を友貴子は完全に忘れはて、「のびのびとした気持ち」は天からの贈り物であるかのように了解されている。これもまた完全犯罪ではないだろうか。しかも夫の完全犯罪をはるかに凌駕する、完璧で傷ひとつない「完全犯罪」。

桂の芳香に包まれ赤い実をつけたドクウツギを手に林をさまよう、白い婚礼衣装のオフィーリア。終章で描かれる友貴子は、このようなイメージを読者に喚起する。後味の悪さは三季という「悪」の深淵を覗きこんで、あるいは覗きこむことを強制されて怪物に変貌した男女が、この事実に無自覚なまま物語が終わるからだ。幸福な狂気に陥る妻と、妻への愛を口実に殺人の倫理的責任を自問しない夫。二人による「完全犯罪」。

この後味の悪さこそ、われわれが生きる時代の荒涼としたリアリティではないか。『白夜行』と『盤上の敵』。前後して刊行された「悪女」をめぐる二つの小説は、いわば正反対の方向をめざしている。

# イラン、イスラム革命後十年
# 船戸与一『砂のクロニクル』

井家上隆幸

井家上隆幸（いけがみ・たかゆき、１９３４―２０１８）

書評家。岡山県出身。岡山大学卒業後上京し三一書房入社、三一新書などの書籍編集者となる。その後日刊ゲンダイ創刊に携わったのち、フリーライターに。冒険小説を中心に、フィクション、ノンフィクションを問わず、関連書についての該博な知識を投入する、その書評スタイルを、噂の眞相連載の「ジャーナル読書日記」（「量書狂読」シリーズとしてまとめられている）で確立する。その最高の成果が『20世紀冒険小説読本』海外篇・日本篇全二巻で、日本推理作家協会賞を受賞した。本編はその日本篇の中で船戸与一『砂のクロニクル』を論じた一章。本文と同ウェイトの註の迫力を堪能いただきたい。

初出＝ミステリマガジン一九九八年十月号／底本＝『20世紀冒険小説読本〔日本篇〕』早川書房二〇〇〇年

「クルディスタン（クルド人の土地）」は、西は北部シリアでユーフラテス川に接し、東はイランのケルマンシャー市に至る三日月状の山岳地帯である。また北部と東部では、トルコのアルメニア地域とイランのアゼルバイジャン地域にまたがり、南はイラクのハナキン（バグダッド北東にありイラン国境に隣接）、キルクーク、モスール、そしてトルコのメルディン、ウルファの各都市に至っている。そこに住む二千五百万人とも推定されるクルド人たちは、イラン、イラク、シリア、トルコ、アゼルバイジャンなどに居住地を分断され、いずれの国でもマイノリティとして迫害され、あるいは政治的、軍事的に利用されるという苦難の道を歩んでいる。[*1]なかでも、イラン、イラクに住む約一千五百万人のクルド人の歴史は血と涙のそれである。イラン・クルドは第二次大戦の直後の四六年一月、聖なる地マハバードで共和国の樹立を宣言するが、米英両国に支援されたイラン国軍によって粉砕される。[*2]イラン政府の大弾圧を逃れてイラン・クルド民主党などは本拠をイラクに移し、イラクの支援でゲリラ活動を開始する。一方、イラク・クルドは、イラン・イラク戦争では、イランに唆されて反イラク闘争を展開する。イラク軍は八八年三月、クルド人の町ハラブジャを化学兵器で無差別攻撃し、婦人や子どもをふくむ約五千人を虐殺した。[*3]

船戸与一『砂のクロニクル』（毎日新聞社）は、こうした歴史を背景として、辺見庸のいう「クルド人総体の無念と憤怒、ついえ去ったマハバード共和国への見果てぬ夢、イラン・クルドとイラク・クルドの哀しい確執」[*4]を主旋律とし、イスラム革命の〈観念〉に生きる革命防衛隊員[*5]と〈権力〉の腐敗、権力と真っ向から対立するフェダイン・ハルク[*6]の闘士、権力に潜り込んだ旧体制の秘密機関サヴァックの工作員、あるいはグルジア・マフィアなどの曲折に満ちたドラマをえがいている。

一九八八年八月二〇日、宣戦布告なき開戦以来七年一一カ月ぶりにイラン・イラク戦争の戦火は消えた。それから半年後の八九年二月、ロンドン。武器商人ハジこと駒井克人は、イラン・クルドからの自動小銃二万梃の調達を引き受け、崩壊寸前のソ連に飛んで、グルジア・マフィアのゴラガシビリと組んでＡＫＭを密輸する。搬入場所はクルド人の聖地西アゼルバイジャン州マハバード。人口二〇万のうち九割以上を占めるクルド人の叛乱を怖れて革命防衛隊が包囲しているこの街を、イラン・クルド人ゲリラは襲撃しようとしているのだ。

同じころ、イ・イ国境、ザグロース山脈の麓、ケルマンシャーハン州の州都ケルマンシャーにいた革命防衛隊小隊主任のサミル・セイフは、財産と女を略奪するために、クルド人資産家のタフムスヴィを反イスラム革命の罪で処刑した地区司令ムスタファ・ラシュワルを射殺したことを評価した、革命防衛隊情報分析部副部長ガマル・ウラディによってマハバードに送り込まれる。イラクとの戦争が終わって半年、立ち直りをみせない経済状態や箍の緩んだ革命防衛隊の腐敗につのる国民の不満をそらし、国内に緊張状態を創りだすためにクルド人の反政府活動を挑発せよ、という任務をおわされて。

マハバードを望むザグロース山脈の東に聳えるケルネク山の秘密基地では、イラン・クルド・ゲリラが待機している。駒井が武器をとどけしだい、マハバードを襲撃するのだ。サラディン率いるイラク・クルド・ゲリラの戦闘小隊四〇名も合流している。イラン・クルドの若いリーダー、ハッサン・ヘルムートは一九歳のニジャーブとサラディン、三人でゲリラの動きを革命防衛隊に密告しているザカリア・マリスヴィを暗殺する。死体の処理を手伝ったのは、ザカリアの第二夫人シーリーン。ペルシャ人の彼女はマハバードに流れついたところをザカリアに拾われ、ときには革命防衛隊のお偉方相手に身体を提供する娼婦あつかいされても、「どれほど軽蔑されようと生きなきゃならない理由がある」という。そしてその帰路、ハッサンとサミルは出会う。ハッサンをクルド・ゲリラと見抜いたサミルはいう。「おまえらがクルドの文化を守ることには何の反対もしない。スンニー派の儀式に従って暮らすことにも何の異議もない。しかし、クルド人が分離独立を夢見て、おかしな動きをはじめたら、このあたりの大地は夥しい量のクルド人の血を吸うと思え」

ハッサンは、サミルの身体の深奥から発せられている情熱のどうやってもかき消せそうにない昏い炎に驚嘆する。イスラム革命のために私的な欲望なんぞ完全に捨てきった情熱に。ハッサンは、根拠地に茅屋を建てて住む隻脚の日本人ハジに、シーリーンとサミルのことを話す。一瞬、ハジの眼に走る驚愕。そして、シーリーンとサミル、十年前に生き別れた姉と弟の再会は、ガマル・ウラディこと元サヴァック工作員ポラド・ダルヴィシュへの憎しみと復讐心だけで生きてきたシーリーンが狂うときでもあった。

駒井が運んできた武器を手にクルド・ゲリラがマハバードを攻撃する日、隻脚の日本人ハジはその戦いをみとどけるため山を下り、輸送途中に重傷を負った武器商人ハジも戦いをみとどけようとする。革命防衛隊の腐敗をアヤトラ・ホメイニに知らせるためのサミルら〈純粋観念〉派の蹶起と、ハッサンらの襲撃が重なるモハバードの街を、焼き尽くし殺し尽くす革命政府の空軍機。抜け殻のようになったサミルを射殺するハッサン。射殺されたサミルを抱いて慟哭する隻脚のハジ。〔この若者はイスラム革命のためだけに生き、イスラム革命のためだけに死んでいった。その使命を一度だって疑ったことはなかったのだ。ああ、むかしのわたしに似てる。革命の幻視のなかにだけ生を見つけようとしたのだ。サミル・セイフは年端もいかないうちからイスラム革命にすべてを打ちこんだのだ。酒精に気を紛らわすこともなかったろう。女と戯れることもなかったにちがいない。観念だけがサミル・セイフを支配した。その観念が成長するたびにみずからを背伸びさせたろう。その観念が強化されるたびにみずからを鞭打ったのだ。イスラム革命の他には何も脳裏をよぎらなかったにちがいない。短かったが、ぎりぎりの人生を送ったのだ……おお、アッラーよ、唯一神よ！　観念に生き、観念に死んでいったこの痛ましい魂に安らかな眠りを！〕

そして、革命という幻だけを追って生き、ついには狂って「カスバの女」をくちずさみ、本能的に牡の肉を求めるシーリーンと隻脚のハジの荒淫と死――。〔いずれにせよ、これは砂に書かれたものがたり。すぐにも風雨に掻き消えるだれにも記憶されない短い小さなクロニクル」

〔暦の歴史を眺めると、それは太陽暦と太陰暦の対決の歴史なのだと言ってもいい。おおげさな言いかたをすれば、現在の中東情勢は太陽暦と太陰暦の闘ぎあいなのだという見方もできなくはない。すなわち、グレゴリオ暦の世界制覇をヒジュラ暦が阻んでるという表現すらも可能なのである〕〔太陽暦と太陰暦の相剋はイランにおいてはしかし、他の中東イスラム地域ほど単純ではない。イラン・イスラム革命はグレゴリオ暦のなかで産みだされた近代主義への否定だった。だが……イスラムのなかの少数派シーア派の主力となったペルシア人はヒジュラ暦ではなく民族的伝統たるジャラリ暦を選んだ。そして、イランのなかの少数民族と呼ばれるクルド人やバルチ人はヒジュラ暦のもとで暮らし、ペルシア人支配に抗しつづけている。荒っぽく対置させればこうだ。グレゴリオ暦の世界制覇に対抗するヒジュラ暦。スンニー派優位のイスラム教のなかでシーア派主力のペルシア人の民族的伝統たるジャラリ暦。ペルシア人支配を撥ねのけようとするクルド人たちのヒジュラ暦。太陽暦と太陰暦の確執はイランにおいては概ねこのように進行している〕

グレゴリオ暦は「西暦」、ヒジュラ暦はイスラム暦。冒頭においた「飾り棚のうえの暦に関する舌足らずな注釈」にそって、サミル・セイフと革命防衛隊の章はペルシア（ジャラリ暦）、ハッサン・ヘルムートとクルド・ゲリラの章はイスラム（ヒジュラ暦）、ハジと呼ばれる二人の日本人やグルジア・マフィアらの章は西暦（グレゴリオ暦）と使い分け、クルド・ゲリラの蜂起とサミルら革命防衛隊員の〈純粋観念〉の〈現世権力〉に対する蹶起の同時発現、それに二人のハジやシーリーンをくわえた終章は三つの暦を併記して、船戸与一は、勝者の暦＝歴史の虚偽を覆す。

〔時の流れは改暦によってこれまでとは別のメロディを奏ではじめるが、それでも昔の余韻までが完全に抹殺されるわけではない。普通の手続きを経て編まれた歴史のなかには収まらない秘めやかな囁きが聞こえてくるのだ。天駆ける精神はどこに墜死したか？　鳥たちが飛び去ったあとで樹々の梢はどう顫えていたか？　涸れた泉のそばで息絶えた狼はどんな眼をしていたか？　これらの問いに力強く答えてくれるものは何もない。それは記録されなかったか、もしくは記録されたとしてもどこかに葬り去られてるからだ。いまとなっては残念ながらすべてが想像だけに委ねられる〕と書きとめる、正史の虚偽に抗う者たちの側に身をおいたその想像力は、中東の現代史を書き換えてみせた。

＊1　九〇年二月に出版されたが、トルコ政府によって即日発禁となった、イスマイル・ベシクチ『クルディスタン＝多国間植民地』（中川喜与志／高田郁子編訳・柘植書房）はいう。〔クルディスタンは植民地ですらない。クルド人は植民地民族になることすらできない。クルディスタンとクルド民族の政治的な地位は植民地のそれよりずっと低いところに位置する。クルディスタンの政治的地位、政治的主体性はまったく存在しない。クルド人たちは、奴隷化するこ

と、無個性化することばかりか、名前と名声、言語、文化とともにこの歴史から、地上から消え去ることを要求されている民族である。つまり、クルド人としてのアイデンティティを完全に放棄することを強要されているのである〕〔どの地域においてもクルド人がクルド人として数えられることはない。トルコではトルコ人として、イラク・シリアではアラブ人として、イランではペルシャ人として数えられる。当然ながら第二階級の「トルコ人」第二階級の「アラブ人」第二階級の「ペルシャ人」として。それゆえ、激しいトルコ人化政策、アラブ人化政策、ペルシャ人化政策が追求される。クルド人とクルディスタンの個性はかたくなに否定される〕〔第一次世界大戦以降つまりオスマン帝国崩壊以降、イラク・シリア・ヨルダン・パレスチナ・レバノンなどの植民地政府＝委任統治国が樹立された。だが、クルディスタン政府はついに樹立されることがなかった。言葉の世界とこの歴史から「クルド」と「クルディスタン」という名詞を削除するかのように、クルド民族は分断され、分割され、争奪すべきパイと化した（＝併合された）のである〕〔この強引なる押しつけに対するクルド人の自由と独立の闘い、民族としての諸権利を求める闘いの数々は、血を持って圧殺されてきた。たとえば、南部クルディスタン（イラク領内）でのシェイヒ＝マフムット＝ベルゼンジと後のモッラー＝ムスタファ＝バルザーニ、東部クルディスタン（イラン領内）でのスィムコとカドゥ＝ムハンメドによって進められた闘い、北部クルディスタン（トルコ領内）でのコチギリで進められた闘い、シエイヒ＝サイト、イフサン・ヌリ、セイド＝ルザの指導で進められた闘い……すべては血の弾圧の中で壊滅させられた。イギリス帝国主義と中東における現地協力者たちの共通の思惑と共同作戦によって〕〔このようにクルディスタンの「国境線」というのは、まったくはっきりしなくなっている。クルディスタンを共同の植民地とする周辺諸国は、クルド人に対する国内外への強制移住と集団虐殺・民族虐殺によって、またバルカン半島からの移民政策とアフガニスタンからの難民政策によって、さらにはトルコ人化・アラブ人化・ペルシャ人化の徹底によって、クルディスタンにおける人口構成を変えながら「自然の国境線」にすら重大な変更を加えてきた。クルド人を追放した地にトルコ人・アラブ人・ペルシャ人を定住させ、クルディスタンの最も肥沃な地域に国営の殖産農園や軍事駐在所を設置するという政策は、クルディスタンを「共同植民地」として搾取する周辺諸国が意識的かつ執拗に追求し実施してきたものである。わずかだがクルディスタンの一部はソ連領内にもある。今日、この地域がアルメニア共和国の国境内に位置していることを忘れてはならない。強制移住政策はここでも適用された。ここに住んでいたクルド人たちは、一九四四年、中央アジアへの集団流刑に処せられているのである〕

〔たとえばクルド人映画監督ユルマズ・ギュネイの『希望』『路』を見られるとよい。ユルマズ・ギュネイは一九三七年生まれ。イスタンブールの大学に進学。五〇年代後半に映画界入り。トルコ・マカロニウェスタン映画のトップ男優に。六〇年クーデターで共産主義宣伝の容疑で逮捕。二年の禁固刑。刑を終え再び映画界に復帰。七〇年にはギュネイ自ら主演・シナリオ・監督をこなした『希望』を発表、海外から注目を集める。七一年クーデターで再び逮捕。容疑は「危険思想の持ち主」「アナキストに宿を提供」など。ヨーロッパ映画界を中心に国際的救援運動が起こる。七四年恩赦で釈放。活動を再開するが、同年判事殺害の容疑＝冤罪で再逮捕され、一九年の禁固刑判決。八一年仮釈放に際して亡命。『路』は、この間ギュネイが刑務所の中から監督として采配を振るった異色の作品。八三年ギュネイの映画はすべて上映禁止、フィルム・本は押収のうえ焼却された。こうした中でギュネイは八四年フランスで客死〕と前掲『クルディスタン＝多国間植民地』訳者註にある。

＊2〔一九四六年一月二二日、KDP（クルド民主党）はマハバド全市の集会を開いた。カジ（モハムマド、KDP党首）が宗教的身分を示す白い頭巾を頭に巻いたまま、ソ連の将軍の制服姿で現れ——マハバド共和国の樹立を宣言した。カジが新共和国の大統領になった〕（S・C・ペレティエ『クルド民族／〔中東問題の動因〕』前田耕一訳・亜紀書房）。〔このマハバード共和国はその十一カ月後に粉砕される。初代大統領カジ・ムハンマドは弟や従兄とともにマハバードの中央広場で公開処刑された。これは第二次大戦直後にはじまった東西間の綱引きのうえで瞬時に咲いた徒花なのか？　単なる政治的発作なのか？（引用者註・共和国誕生から崩壊までの経緯は前掲『クルド民族／〔中東問題の動因〕』を読まれたい）。

〔それが何だったにせよ、この時期クルドのなかから特筆すべき人物が登場して来る。ムスタヤァ・バルザーニ。彼は一九〇二年にイラクのバルザンで生まれ、長じてバルザーニ一族の族長となった。イラク政府と最初の武力衝突を起こすのは一九三一年のことだ。バルザン地方にアッシリア人を移住させるという政府方針への反対が理由だった。彼はこの戦闘で戦術家としての能力を語り草になるまで発揮する。イラク政府はイギリスに支援を要請、バルザーニはイギリス空軍の爆撃を避けてトルコへ向かうが、トルコ政府によってバグダッド当局へ引き渡される。イラク政府はバルザーニ一族をスレイマニアへ移送し、幽閉に近いかたちでその地に押し込める。だが、スレイマニアでのこの十年間が彼をクルド民族主義者へと変える〕〔一九四三年、ムスタファ・バルザーニは妻の所有する金の装身具を売って資金を作り、少数の配下とともに――イラン経由で秘かに故郷バルザンに戻る〕

二年にわたるイラク政府軍とのゲリラ戦ののち、〔一九四五年九月、彼は三千の戦闘員とともにザグロース山脈を越え、イラン領内に誕生したばかりのマハバード共和国に合流……共和国が誕生直後に粉砕されると……アゼルバイジャンに向かう。……同伴するゲリラの数は八百に減っている。イラン・イラク・トルコの国境を形成する峻険な峰々を越えていくこの旅は毛沢東のそれに倣って長征(ロング・マーチ)と呼ばれている〕〔アゼルバイジャン共和国に足を踏み入れたのは一九四七年六月十日。三百五十キロに及ぶこの長征のあと、彼は十一年間ソヴィエトで暮すことになる〕〔一九五八年七月、バグダッドにおけるアブドル・カリム・カセムによる反王制クーデタ勃発。これを機にムスタファ・バルザーニはイラクに帰国する。カセムは表面上彼を歓迎する〕〔だが、やがて彼はカセム体制と対立を深めていき、ふたたびイラク軍とのゲリラ戦に突入していく。一九六一年から翌年にかけてのことだ。それは今日、第一次クルド戦争と呼ばれている……一九六三年二月八日にバース党がクーデタで政権を奪取すると、バルザーニの首に賞金が懸けられた。そのためゲリラ戦はこの年にはじまる第二次から一九七三年以降七五年にかけての第五次クルド戦争まで継続されていくのである……第五次クルド戦争の敗北の結果、ムスタファ・バルザーニはイランに亡命してその役割を終えるが、イラクのクルド現代史は彼自身の固体史であると言っていいほどその存在は大きかった」（船戸与一『国家と犯罪』小学館）

＊3 「八八年三月一六日イラン軍はハラブジェなど戦略的要地を含む約八〇〇平方キロを占領し、イラク兵八〇〇〇人を死傷させ三五〇〇人を捕虜にした。イラク軍は翌日ハラブジェで毒ガスを使用、約五〇〇〇人が死亡、七〇〇〇人が負傷したが、そのほとんどは街のクルド人だった」だが「日本はイラクの毒ガス使用を非難しないばかりか、戦争が終わるやいなや、イラクを『ウォー・リスク』国のリストから外し、貿易保険の適用を緩和することにより商取引の拡大をはかり、さらに政府間援助を大幅に増やしサダム・フセインの政府を支援しようとした。世界のどこよりも速く商品サンプルをイラクに送りつけたのは、言うまでもなく日本の商社である」（前掲『クルド民族／「中東問題の動因」』）

＊4 辺見庸（『砂のクロニクル』文庫版解説）

＊5 「革命政権は国軍を解体寸前まで追い込んだ――国軍の内部崩壊と並行して、自然発生的に「イスラム革命防衛隊」（パスダラン、KSIR）という武力組織が各地にできた。これは当初、反革命分子の摘発と、ホメイニ師などの宗教要人の護衛を主任務とした各個バラバラの組織であったけれども、暫くすると正規軍によるクーデターに対抗するカウンター・バランスの役割を持つ軍事組織として、革命政権によって漸次育成されていった」「イスラム革命防衛隊の任務は……①イスラム革命の成果を防衛すること、②全世界にイスラムの理念を普及する

こと、③アッラーのために聖戦を行うこと、④国家の安全を保障すること、である……国内的には⒜国家領域内の安全とイスラム教を基本とする社会秩序を確保すること、⒝体制にとって好ましくないグループ、及び民族の自決権を求める少数民族を制圧すること、である。その活動は、国家施設、重要な軍事・経済施設を防護し、政治及び宗教活動を保全し、イスラム化のための啓蒙的文書を出版・普及させ、正規軍・憲兵隊・警察の諸活動を監督することである。対外的には、⒜正規軍とともに国家の独立を確保し、領土を保全すること……⒝外部の反政府勢力からイスラム共和国を防衛すること、⒞各イスラム教国に対し〝イスラム革命を輸出〟することである」（鳥井順(とりいじゅん)『イラン・イラク戦争』第三書館）

＊6　フェダイン・ハルク（人民のための戦士）はモジャヒディン・ハルク（自由のための戦士）とならぶ左翼勢力。シャー体制のもとで弾圧につぐ弾圧をうけていたが、パレスチナ解放運動の支援のもとに地下活動をおこない、着実に勢力を広げていた。秘密警察サヴァックの事務所や警察治安当局を攻撃し、また民衆のデモ隊を防衛し、最後には武装蜂起してシャーの近衛部隊を攻撃、降伏させ、革命を革命ならしめた重要な役割をはたした。とりわけ、フェダイン・ハルクは秘密裏に宗教勢力のなかに浸透し、ホメイニ師ら宗教指導者の身辺防衛にあたったり、革命防衛隊の中核にもなるが、反政府派として弾圧され地下に潜行。〔革命進行の過程ではイラン・クルド民主党とマルクス主義殉教者機構フェダイン・ハルクは共闘関係にあった。イイスラム教の導師でありクルドの民族的指導者であるシャイフ・ホセイニの革命時の声明「イスラム教徒であるわたしは共産主義を受け入れない。しかし、フェダイン・ハルクはパハレヴ

ィ追放の革命で戦ったこと、そしてわたしたちと同じ目的で戦っているという理由で、彼ら左派をわたしたちの運動に受け入れる。その目的とは自治の獲得である」。だが、イランにイスラム共和国樹立が宣言されて革命が第二段階にはいると様相は一変し、民族主義派とマルクス主義急進派は共闘どころではなくなって来る。ホメイニが両者を個別に撃破しはじめたからだ」(前掲『国家と犯罪』)

書簡体を用いる　夢野久作『瓶詰地獄』

中条省平

中条省平（ちゅうじょう・しょうへい、１９５４—）

学習院大学教授、フランス文学者。同時に、映画、文学からジャズ、マンガと幅広い興味の対象を生かした評論活動を行っている。著書に『最後のロマン主義者——バルベー・ドールヴィイの小説宇宙』、『映画作家論——リヴェットからホークスまで』などがあるほか、訳書も多数。その中にはＪ＝Ｐ・マンシェットの『愚者(あほ)が出てくる、城寨(おしろ)が見える』『眠りなき狙撃者』も含まれている。本篇は小説トリッパーに連載された「文章読本　文豪に学ぶテクニック講座」の中の一篇。短く簡明なものだが、夢野久作「瓶詰地獄」を読み解いて過不足ない。

初出＝小説トリッパー一九九七年夏季号／底本＝『文章読本　文豪に学ぶテクニック講座』中公文庫二〇〇三年

かような離れ島の中の、たった二人切りの幸福の中に、恐ろしい悪魔が忍び込んで来ようと、どうして思われましょう。

けれども、それは、ホントウに忍び込んで来たに違いないのでした。

それはいつからとも、わかりませんが、月日の経つのにつれて、アヤ子の肉体が、奇蹟のように美しく、麗沢に長って行くのが、アリアリと私の眼に見えて来ました。ある時は花の精のようにまぶしく、又、ある時は悪魔のようになやましく……そうして私はそれを見ていると、何故かわからずに思念が曚昧く、哀しくなって来るのでした。

「お兄さま……」

とアヤ子が叫びながら、何の罪穢れもない瞳を輝かして、私の肩へ飛び付いて来るたんびに、私の胸が今までとはまるで違った気もちでワクワクするのが、わかって来ました。そうして、その一度一度毎に、私の心は沈淪の患難に付されるかのように、畏懼れ、慄えるのでした。

けれども、そのうちにアヤ子の方も、いつとなく態度がかわって来ました。やはり私と同じように、今までとはまるで違った………もっともっとなつかしい、涙にうるんだ眼で私を見るようになりました。そうして、それにつれて何となく、私の身体（からだ）に触（さわ）るのが恥かしいような、悲しいような気もちがするらしく見えて来ました。

⚜

はたしてこれが名文でしょうか？　むしろ欠点のほうが多く目につくような気がします。一例を挙げると、「忍び込んで来る」とか「見えて来る」の、「～で来る」「～て来る」という表現の乱用。原稿用紙わずか一枚半の引用部分に、なんと八回も使われています。こうしたぞろっぺえな繰り返しは絶対に避けなければなりません。あるいは、「アリアリ」「ワクワク」といった擬態語や「ホントウ」といった熟語のカタカナ書き。こうしたカタカナ表記、とくにオノマトペのカタカナ書きは、それだけで文章の品格を落とし、描写を書き割りのように安っぽく見せてしまいます。特別の効果がないかぎり、避けるのが無難というものでしょう。

しかし、それに対して、「曚昧（くら）く」「罪穢（けが）れ」「沈淪（ほろび）」「患難（なやみ）」「畏懼（おそ）れ」といった、普通はとても漢字で書けないような難しい漢語が使われ、しかもそれぞれに和語のルビが振られているのです。これはいったいどうしたことなのか。もちろん、この表現のちぐはぐさには、作者の深い意図が隠されています。

ところで、小説の文章は内容とけっして切り離すことができません。全体から部分を独立させた引用文が、それ自体で美しい、優れているということは本来ありえないのです。見た目にどれほどの華麗な美文で綴られていようと、仮にその小説が醜悪な現実をリアルに描こうとする意図をもった作品であった場合、その美文はただ美文であるというだけで、その小説にとっては悪文ということになってしまいます。つまりは、空疎で、その小説にとっては美しくない文章だということになります。逆に、一見ちぐはぐで、大げさに見える表現が、その小説にとって絶対になくてはならない美しさを備えたものということもありえます。

したがって、いまここに引用した文章の美しさ、悪魔的なまでの巧妙さを味わうためにも、この小説の内容について、必要最低限の説明をしておくことが必要になります。この小説、**夢野久作の『瓶詰地獄』**(『夢野久作全集8』ちくま文庫)は一九二八年に発表されました。

『瓶詰地獄』は一通の報告書と三通の手紙からなる、いわゆる書簡体小説です。最初の報告書は、ある島の村役場の役人が書いたもので、その内容は、海洋研究所から潮流調査用のビール瓶を回収してくれという依頼があったので、海岸を調べたところ、三本のビール瓶が見つかったから、ここに同封してお送り申し上げる、というものです。これに続く三通は、その村役場の人間が発見した瓶のなかの手紙ということになります。最初の瓶の手紙は、この離れ島についにお父様とお母様の救助の船がやって来たけれども、私たちは恐ろしい罪を犯してしまった身なので、フカのいる目の前の海に身を投げて死にます、という、いわば遺書です。書き手は「哀しき二人」と署名しています。次の二番目の手紙がいちばん長文で、私と妹のアヤ子は、それぞれ十一歳と七歳のときに船が難破してこの南の無人島に流れついたけれども、幸い、常夏で、食物も豊富だし、少年少女でも生きるのに不自由せず、もう十年ほどもここで暮らしている、という内容です。しかし、アヤ子がすくすく成長するにつれて、私は悪魔の誘惑に駆られるようになる。このときの私の心境が、右に引用した文章として綴られているわけです。

この引用文のあとは、私は罪を犯さないうちに自殺しようと試みたが、アヤ子ひとりをこの孤島に残してゆくと思うと、とても自殺などできはしない。いまはただ、いつ罪を犯さないかと悩み苦しんでいるばかりで、この美しい島は私にとって地獄に変わってしまった。「瓶詰地獄」というタイトルの由来です。だから「神様。神様。あなたはなぜ私たち二人を、一思いに屠殺してくださらないのですか……」と手紙は締めくくられます。署名は「太郎記す」となっています。

最後の手紙は、カタカナ書きの二行で、

「オ父サマ。オ母サマ。ボクタチ兄ダイハ、ナカヨク、タッシャニ、コノシマニ、クラシテイマス。ハヤク、タスケニ、キテクダサイ。

市　川　太　郎
イチカワ　アヤコ」

これが全文です。

つまり、この報告書と瓶のなかの三通の手紙はすべて、書かれた順番と逆の時間的順序で配置されているわけです。その結果、近親相姦の誘惑と罪の恐れの相剋を描く第二の瓶の手紙を読んでいる時点で、読者は、兄と妹がすでに恐ろしい罪を犯したことを知っており、それだけに、兄があれほど恐れおののいていたにもかかわらず犯してしまった近親相姦の魅力の強烈さを、逆に思い知らされることになります。また、遭難した直後に書かれた、最後の手紙の無邪気さは、かえってこの兄妹への深い哀れを誘うことになります。

また、結局この最後の瓶の手紙が両親のもとに届かず、人知れず海岸に打ち上げられていたという事実は、最初の瓶の手紙の、両親が救いを求める兄妹の手紙を読んで船で救助に来たという記述の信憑性を揺るがすことになり、おそらく、近親相姦の恐怖と快楽に引き裂かれた兄妹は、狂気の淵に至って、父母の姿を幻視したということになるのでしょう。この場合、父母の姿は、近親相姦の罪に下される天罰の化身であり、兄妹の罪悪感のあらわれだといえます。この父母の出現のエピソードが、幻覚であるか、現実であるかは、読者の判断に委ねられているわけですが、こうした事実関係の不確かさも、小説の読後感と余韻をいっそう奥深いものにしています。

さて、引用文に戻りますと、なぜ、この手紙の書き手である兄、太郎は一見無造作な文章のなかに、極端に難しい漢字をちりばめていたのでしょうか？　それは、この兄妹が離れ島に流れついたとき持っていた所有物のせいなのです。この小道具の選択は、四つの書簡を書かれた時間と逆の順番に置いたことと並ぶ、この短篇の巧みさの要です。この兄妹は船が難破したとき、ちょっとした生活の道具のほかに、「水を入れた三本のビール瓶」と「小さな新約聖書（バイブル）」を持っていたのです。つまり、作者は、飲料水を詰めたビール瓶三本という小道具ひとつで、手紙は最初からたった三通しか出せないという究極の選択の条件を実現してしまったのです。

溜息が出るほど巧みな技です。

それ以上に凄いのは、たまたま「新約聖書（バイブル）」が彼らの手元に残されたことです。彼らがクリスチャンであることは、手紙のあちこちに神様への呼びかけがあることなどで分かるのですが、遭難当時まだ十一歳と七歳だった兄妹は、この一冊の本だけをもとに世界観を形成していくほかなかったのです。ここに、『瓶詰地獄』の悲劇の原因があります。

さらに巧みなのは、彼らは漢字の使い方さえも文語訳の「新約聖書（バイブル）」から学ぶほかなく、そのために、兄、太郎の書いた手紙に見られる独特の漢字遣いが生まれたというところです。「新約聖書（バイブル）」の文章は、それほどまでに太郎の精神の骨肉と化していたのです。また、こうした厳（いか）めしい漢字の表記が、もっぱら罪悪感をあらわす語彙（ごい）のなかで使われていることも、彼の罪の意識の深さを表現しています。「聖書」こそが、『瓶詰地獄』の罪悪への深い恐れを培ったのです。そうした諸（もろ）もろの事情を、奇妙に大げさな漢字表記と無造作な文章やカタカナ書きの矛盾で浮き彫りにしてみせた夢野久作の作家魂には敬服のほかありません。

最後につけ加えると、本来無垢無邪気であった人間が性の誘惑ゆえに決定的な罪を犯すというこの物語は、アダムとイヴの物語の反復です。つまり、太郎とアヤ子が生きたのは、人類の原罪の物語のもっとも強烈な再現だったのです。してみると、この島に太郎とアヤ子の携えてきた本が「新約聖書」のみだったという事実にも、作者の周到な計算がうかがえます。仮に「旧約聖書」も持ってきていれば、彼らは自分たちの身の上がアダムとイヴの物語と同じことに気づき、瓶詰の手紙のなかで「旧約聖書」冒頭のこの挿話に言及しないことは不自然になります。しかし、そうなると、彼らは自分たちの運命を聖書であらかじめ知っていたことになり、『瓶詰地獄』の要である、いまだかつて知らない罪を犯すことへの原初の恐れと快楽の強烈さは減殺されてしまうことでしょう。したがって、彼らが離れ小島に持ってくるものは、「新約聖書」でなければならなかったのです。「新約聖書」にわざわざ「バイブル」とルビを振って「旧約」の影をきっちりと拭い去っておくところまで、なんと心憎い小技の切れ味でしょう。

ちなみに、久作は『悪魔祈禱書』という短篇で、悪魔に捧げられたバイブルのパロディを試みて成功していますが、よほど聖書に親しむことが深かったのだと思われます。『瓶詰地獄』には、その聖書研究の一端が理想的な形で反映しているといっていいでしょう。

# 明るい館の秘密

## ――クリスティ『そして誰もいなくなった』を読む

若島　正

若島正（わかしま・ただし、1952—）

京都大学名誉教授。翻訳家。いわゆるアカデミックな意味での英米文学のみならず、SFやミステリまで含めた幅広く豊富な読書と研究の量とで知られる。その成果の一端は、『乱視読者の冒険』以下の「乱視読者」シリーズや、『殺しの時間』に窺うことができる。本編は創元推理に連載していた「古典探訪」の第一回で、その後『乱視読者の帰還』に収められ、同書は本格ミステリ大賞を得た。詰将棋やチェスのプロブレムの作者として世界でも屈指の存在で、ウラジーミル・ナボコフのチェス小説『ディフェンス』の翻訳と解説や、アンソロジー『モーフィー時計の午前零時』には、そちらの才能も寄与していることは疑いをいれない。

初出＝創元推理一九九六年冬号／底本＝『乱視読者の帰還』みすず書房二〇〇一年

もしここが古い館で、床はきしみ、暗い影があって、壁はびっしりと板張りなら、不気味な雰囲気が生まれても不思議ではなかった。しかし、この館は近代建築の粋を凝らしたものだった。暗い隅はなく――壁には仕掛けがありそうもなく――電灯が煌々と輝いていて――何もかも新しく明るかった。ここには何も隠されていない。怪しげな気配もない。だがなぜか、それがいちばん恐ろしいところなのだった……。

――クリスティ『そして誰もいなくなった』

推理小説とは、本質的に再読を要求されるジャンルである。作者がこっそりと隠した手がかりを、読者はそれとは知らずに読み飛ばしてしまう。そして、ようやく謎の解明の段になって、それまでうっかりと読み過ごしてきたものの多さに気づき、前にさかのぼってページをめくる。あるいは、最初からもう一度再読して、作者の巧妙な仕掛けのひとつひとつを味わうことになる。

しかし、そうした読み方は、なにも推理小説だけに当てはまるとは限らない。いやむしろ、それはあらゆる小説について言えることであり、その意味では、推理小説はすべての小説の雛形であると言ってもかまわない。ウラジーミル・ナボコフも『ヨーロッパ文学講義』の中でこんな名言を吐いている。「ひとは書物を読むことはできない。ただ再読することができるだけだ」

わたしがこれからやりたいのは、推理小説史に残るような代表的作品を再読することである。それは言い換えれば、推理小説を推理小説として再読すること、あるいは推理小説を小説としてもう一度読み直すことである。つまり、ごく当たり前のことをしてみたいわけだ。よく知られている作品を、すでに知っているつもりにならずに、もう一度読み返してみることを、読者に促したいのである。

作品を論じるにあたって、わたしは難解な批評用語を弄ぶつもりはない。丸い卵も切りようで四角というのは、わたしの趣味ではない。むしろ、丸い卵は丸いということを言うつもりだ。わたしは小説の勘所にしか興味がないのである。それでは、丸い卵を丸いと言うことに、どんな意義があるか。わたしの論じることが、読者には既知のまったく常識的なことであるとしたら、それはそれでひとつのコンセンサスを得られたことになり、悦(よろこ)ばしいのかもしれない。あるいは逆に、それがまったくの常識外れであり、今までの常識が丸い卵を四角だと思い込んでいただけにすぎなかったことが明らかになれば、さらに悦ばしいだろう。もちろん、わたしの読み方が単なる誤読でなければの話だが。

このような論考を書こうという気になったのは、推理小説の再読がどういう場で行われているのか、外部の人間から見ればわからないのが最大の理由である。たとえば、推理小説では謎の解決そのものを批評の対象にしてはいけないという不文律がある。それは愛読者どうしで直接話題になることがあったとしても、活字になることはあまりない。従って、そうした議論は水面下で行われているか、あるいはまったく行われていないのかのどちらかである。謎解きが、誰が読んだところで同じ受け取り方しかできないような、たとえば物理的手段を含むものであるとしたら、それは議論がなくてもかまわないだろう。それはすでに読者の知識として蓄えられているだけである。しかし、謎解きが小説の読み方に直接関係している場合はどうだろうか。丹念な再読を要求される作品の場合に、はたして読者の了解事項は共通しているのだろうか。

これからわたしがある作品について述べることは、わたしの知るかぎりでは、活字になっているのを目にしたことがない。だから、わたしの読み方が正しいのかどうか、それが愛読者の常識なのかどうか、確かめるすべがない。そういうことをこれから書いていくつもりである。謎解きそのものを論じる関係上、犯人などを明らかにしながら話を進めるので、そのつもりでお読み願いたい。

世界で最も多くの読者に読まれている推理小説で、しかもそのトリックがよく知られているものとして、クリスティの『アクロイド殺害事件』と『そして誰もいなくなった』を挙げても、おそらくどこからも反論はないだろう。語り手が犯人であるという『アクロイド殺害事件』、そして孤島で十人の登場人物が次々と殺されて最後には誰もいなくなるという『そして誰もいなくなった』は、推理小説愛好家なら誰でも、たとえ実物を読んでいなくても、そうした筋書きぐらいは知っているはずのものである。しかし、たいていの読者の知識はそこで止まっている。古典的推理小説の代表としてつねに名が挙がるこの二作は、その名声に見合うだけの詳しい議論や分析がされてきただろうか。

『アクロイド殺害事件』の方は、クリスティの創作意図を推理することはそんなに難しくない。一見ワトスン役のような語り手が驚いたことに犯人であるからには、語り手の叙述は真実でもありまた嘘でもあるわけで、それがこの作品の肝心要の仕掛けであり、それがまた「『アクロイド殺害事件』は推理小説としてフェアか?」という議論を生んできたのはすでに御存知のことと思う。しかし、この叙述トリックそのものには、解釈の違いが生じる可能性はほとんどない。なぜかと言えば、それは語り手がその叙述トリックの部分を自分で解説しているからであり、その指示に沿って読み直しさえすれば、クリスティの手の内はよくわかる。この誘導に従って実際に読み直しをやってみた例が、創元ライブラリに収められた『物語の迷宮』の中で、松島征(まつしまただし)氏が行っているナラトロジーの視点からの分析である。実を言うと、わたしが『アクロイド殺害事件』に対して持つ興味は、クリスティがここだよと教えてくれている箇所以外のところにあるので、たとえば、この小説に出てくる麻雀の場面にどんな意味が読み取れるかを、語り手の心理を中心にして、四つの違った角度から分析した小論を以前に書いたことがある(拙著『乱視読者の冒険』所収、「クリスティと麻雀の夕べ」)。ある意味では、本稿はその延長線上にあると言ってもいい。

それに対して、『そして誰もいなくなった』の方は、論じられること自体が少ないのではないだろうか。その原因はいろいろ考えられる。まず第一点は、推理小説家としてのクリスティ評価がそれほど高くはないということ。従って、クリスティの小説技巧そのものを論じるような著作は、ロバート・バーナードの『欺しの天才』を思いつく程度で、あまり分析の対象にならないようだ。そして第二点には、これがポワロ物でもマープル物でもないこと。クリスティの愛読者の正道は、ポワロやマープルをまるで友人のように自分の身近な存在として感じることにあるらしく、クリスティについて書かれる文章のかなり多くは、この二人のキャラクターとの親しいつきあいをめぐるものになる。あげくのはてには、彼らの生活や人生のすべてが丹念に調べあげられ、推理される。わたしは、べつにそうした楽しみ方に水をさすつもりはない。ただ、ここではそのようなアプローチを自分に対して禁じているだけである。その意味では、探偵がまったく登場しない『そして誰もいなくなった』は、ポワロ物に属する『アクロイド殺害事件』よりも、ここで扱うには好都合なのだ。

クリスティ批評のもう一つの難点は、キャラクター批評でなくテーマ批評であっても、その切り口が数少ないところにある。それは、クリスティの作品がどれも類型化していて、その型にはまったところが読者に安心感を与え、ひいてはクリスティの人気に貢献しているという認識が一般的なためだろう。たとえば、マープル物を中心とした「カントリー・ハウス」物という一群の作品について論じるのは、クリスティ批評の紋切型であり、それと同様のことがいわゆる「童謡殺人」物についても言える。『そして誰もいなくなった』は後者の代表例であり、そうした観点から眺めた作品論は、ハヤカワ・ミステリ文庫版に付けられた各務三郎氏の解説を読めばとりあえず事は足りる。そして当然ながら、わたしの関心はそこにはない。
わたしがここで考えたいのは、クリスティは『そして誰もいなくなった』でいったい何をやりたかったのか、そしてそれをどう実現させたかという点に尽きる。それを正確に測定してみるのが、本稿の課題である。クリスティ自身は、『自伝』でこの作品についてこう語っている。

わたしが『そして誰もいなくなった』を書いたのは、十人の人間が死んで、しかも愚劣にならずに、犯人も明らかではないという、実現困難なアイデアに魅了されたからだった。書く前にはかなり綿密な計画を立てたし、その出来上りには満足している。単純明快で、不思議な事件だが、まったく合理的な解決が与えられる。実は、その解決をつけるためにはエピローグが必要だった。この作品は好評をもって迎えられたが、いちばん満足しているのはこのわたしである。なぜなら、わたしはどの批評家よりも、これがどれほど実現困難かを知っているのだから。

推理小説の女王クリスティにして「実現困難」と言わしめたアイデア、それははたして何なのか。登場人物十人がすべて殺されて、最後に誰もいなくなってしまうということだけだろうか。わたしに言わせれば、そんなはずはない。そのトリックの種明かしはあきれるほど単純で、犯人は自分の死を偽装していたというのだから、これはどう考えても、クリスティが自慢できるようなものだとは思えないではないか。

「不可能犯罪」とか、「童謡殺人」といった観点よりも、ここで注目したいのは「語り」の問題である。つまり、『そして誰もいなくなった』を『アクロイド殺害事件』の延長線上に置いて、その叙述トリックを検討すればどうなるか。この問題について、まず一般的な認識はどうなっているかを推測するために、各務氏の解説を引用してみる。

> 『そして誰もいなくなった』では、読者にとって信憑性ある描写を意識的に避けている。この手法が『アクロイド殺し』では失敗し、『そして誰もいなくなった』で成功したのは、ひとえにエンディングのあざやかさと悲劇的なマザー・グースのバラードが生みだすサスペンスによる。物語全体がみごとな謎を構成しているために読後感も手品のタネ明かしじみたばかばかしさが希薄なのである。
>
> なぜ、犯罪（謎）を解く手がかりがないか？（解決篇における手紙の釈明は、一応ひととおりの手続きをとったにすぎない）答。クリスティー自身に、手がかりを与える気など最初からなかったからである。エラリイ・クイーンがいうところの、謎づくりにおける〈論理の飛躍〉とか、謎は論理的に解かれなければならないというのはテンから信じていなかったためなのだ。謎の真相などは、ひらめいた読者にわかればいいのだ、という態度が濃厚である。

各務氏が強調する、「読者にとって信憑性ある描写を意識的に避けている」という指摘は具体的にどういうことか。もちろん、解説なのでそこは明言を避けているのだが、『アクロイド』と『そして誰もいなくなった』が同列に並べられているところを見ると、真でもあり偽でもあるという『アクロイド』の叙述トリックが念頭に置かれているのだろう。しかし、それが『そして誰もいなくなった』のいわば非論理性につながる証拠になるのだろうか。

わたしなりに各務氏の意見をパラフレーズすれば、おそらくこういうことになるのだろう。つまり、「『アクロイド』では、最初から客観性がないのだから、読者が謎を解こうとしても無駄であり、作者による謎解きを読んでそうかと感心すればよい。それと同じで、『そして誰もいなくなった』も、もともと論理的ではないのだから、そのエンディングのあざやかさに感嘆しさえすればいいのだ。そして、その華麗な分だけ『そして誰もいなくなった』の方が『アクロイド』よりも成功している」と。各務氏以外の書き手も、ほぼこの非論理性と華麗さを強調する各務氏の意見を踏襲しているように見える。おそらくはそれが一般的な認識なのだろう。わたしには、こうした読み方がどうも納得できない。

なるほど、『アクロイド』をなんの知識もなく読んで、犯人をずばり当てられる読者というのは想像するのが難しい。読者にできるのは、犯人がわかったうえで、『アクロイド』をもう一度最初から再読して、クリスティの「騙(かた)り」の妙にうなることしかない。もちろんこれは犯人による一人称の語りだから、ナラトロジーでいうところの「信頼できない語り手」の最も極端な例であり、語り手が嘘をついていては読者が信頼すべき基盤がなくなるとして、『アクロイド』アンフェア説を唱える読者がいてもおかしくはない。

しかし、『そして誰もいなくなった』の場合は、まったく事情が異なっている。つまり『アクロイド』の一人称に対して、『そして誰もいなくなった』はいわゆる全能の話者による三人称の語りなのだ。三人称の語りにおける地の文は、読者が真実として受け取らなければしかたがない（これはクリスティが自らに課していた条件でもある）。鵜呑みにできないのは、登場人物たちの会話である。しかし、クリスティの独創性は、そこに登場人物たちすべての心理を直接に書き込んだところにあった。彼らの心理描写は、会話と違って、嘘をつくことができない。普通に考えれば、犯人の心理が明るみに出されると、そこでその人物が犯人だとばれてしまうはずである。クリスティは、犯人の心理をさらけだしながら、しかもそれでいて容易に犯人だと見破れないという、一見不可能に思える叙述トリックを狙ったのだ。

わたしは、『そして誰もいなくなった』における最大のトリックは、「壜の中の手紙」というおなじみの趣向で明かされる、犯人によるトリックではなく、作者クリスティの側の叙述トリックだと考えている。ここで犯人によるトリックとは、犯人が物理的にいかに犯罪を可能にしたのかという説明のことであり、作者による叙述のトリックとはまったく別物なのを注意していただきたい。その犯人によるトリックに対するわたしの評価は、すでにほのめかしたように、一言で言ってつまらないというものである。『そして誰もいなくなった』を評価するなら、叙述トリックの方にこそ注目しなければならないのではないか。

それでは、なぜこの点が従来見落とされてきたのか。それは結局、語りの問題に帰着する。

『アクロイド』は一人称の語りであったから、語り手＝犯人は自らが仕組んだ叙述トリックに言及することができた。そして読者はそれを読みさえすれば、そのトリックの仕組みを理解することができた。ところが、『そして誰もいなくなった』の方は三人称の語りなので、犯人は自らの犯行のトリックにしか言及することができず、一段高いところに存在する全能の語り手による叙述トリックについては知ることができないから言及できない。そして、全能の語り手も、客観的な描写をしているようなふりを続けるかぎり、高みから下りてきて叙述トリックを指し示すことはできない。すべては、犯人のトリックが明らかになり、小説が終わった後で、ふと疑問に思ってもう一度この小説を最初から読み直してみるような、読者の勘に委ねられているのである。

その読み終わってからの疑問とは何か？　それはすでに述べたように、登場人物全員の心理が明かされていたにもかかわらず、なぜ犯人が犯人だと見破れなかったのかという疑問である。犯人の心理描写はどうなっていたのかという視点で再読を試みれば、たしかにクリスティの「綿密な計画」が読み取れる。そして、「クリスティー自身に、手がかりを与える気など最初からなかった」のではなく、充分な手がかりを与えながらかつ容易に尻尾をつかませない、その叙述の手口の巧みさに感嘆することになるのだ。

ここで自由な推測をするなら、クリスティは『アクロイド』がフェアかどうかという議論を巻き起こしたのを教訓として、『そして誰もいなくなった』ではそのような非難を浴びない形で叙述トリックを用いたのではないか。そう考えてみれば、『そして誰もいなくなった』は

『アクロイド』と表裏一体となる作品ではあるが、より仕掛けが見えにくい点では、『アクロイド』のひとつの発展形と見ることもできよう。

『そして誰もいなくなった』における心理描写の重要性は、すでに何人かの人間が指摘しているところである。古くは、ロナルド・ノックスが提唱した有名な「探偵小説十戒」の中で、その第一条「犯人は、物語の初期の段階から登場している人物であらねばならぬ。しかしまた、その心の動きが読者に読み取れていた者であってはならぬ」の説明として、「このルールの後半は、分かりやすく言い表すのが困難で、クリスティ女史がこのルールに違反しながらも、なおかつ幾篇かのすぐれた作品を発表しているだけになおさらなのだ」と述べられている。ただし、ノックスがこう書いたのは一九二九年で、『そして誰もいなくなった』出版の十年前のことだった。従って、彼の念頭にあったのは当然『アクロイド』であろう。つねに明晰なジュリアン・シモンズは、「謎ときの女王」というクリスティ論でこの心理描写のトリックに触れ、さらに『大空の死』(一九三五)でも同様の趣向が用いられていることを指摘している。もっとも、『大空の死』では、心理描写は登場人物たちを物語の中に導入する際の一手法として使われているのであり、それが『そして誰もいなくなった』のように前景化されているとは言いがたい。だから、シモンズがわたしと同じような読み方をしていたのかどうかについては、正直なところ不明のままである。そこでわれわれは、シモンズの後を引き継いで、その叙述トリックの巧妙さを実際に詳しく検証してみることにしよう。

まず、分析に入る前に、インディアン島に集まり殺害される十人の登場人物と、その心理描写が現れる章・節をまとめておこう。なお、『そして誰もいなくなった』は、エピローグと犯人の手記を除けば、全16章87節という細かな部分に分かれている。そして、われわれの分析に必要なのはそこだけであり、エピローグの手紙は可能なかぎり無視する。太文字は、各々がその中で視点人物などの中心的な役割を占める節を示す。また、リストの最後には、各々が殺される節を括弧で示してある。

ローレンス・ウォーグレイヴ……元判事
**1―1**　**2―8**　**5―3**　10―3　11―6　13―1　（13―3）

ヴェラ・クレイソン……元家庭教師
**1―2**　2―5　**2―6**　3―1　**5―6**　**7―1**　**8―4**　9―6　**11―5**　11―6　13―1　**13―2**　**13―3**　**14―4**　**14―6**　16―2　**16―3**　（**16―4**）

フィリップ・ロンバード……元陸軍大尉
**1―3**　2―1　2―2　**2―12**　4―3　**11―1**　11―6　13―1　**14―3**　（16―2）

エミリー・ブレント……狂信的な老婦人
**1―4**　2―1　**2―13**　**10―4**　**11―5**　11―6　（**12―1**）

ジョン・マカーサー……現役将軍
**1―5**　2―2　**2―11**　5―5　（9―3）

エドワード・アームストロング……医師
**1―6** **2―7** 4―1 4―3 **6―1** **6―4** **7―2** **9―5** 10―3 11―6 13―1（15―4）
アンソニー・マーストン……遊び好きの青年
**1―7** 2―5 **2―9**（4―4）
ウィリアム・ブロア……元警部
**1―8** **2―10** 8―2 11―6 13―1 **14―5**（15―2）
ロジャース……召使
**5―4** **10―7**（11―2）
ロジャース夫人
（6―1）

こうして全体を眺めてみると、ヴェラ、ロンバード、アームストロング医師の三人に心理描写のかなり多くが集中していることがわかる。とりわけ、ヴェラは意識の中心であるといってもよい。これは、この三人が最後に残る三人であることとも関係しているのだが、ヴェラは当初からアームストロング医師を疑っているし（10―1）、またヴェラとロンバードはインディアン島へと向かう列車の中で出会う、運命の絆によって結ばれた二人である（1―2〜3）。こうした心理的な設定が、結末近くのサスペンスを生んでいるわけだ（実際、クリスティはこの作品を戯曲化したとき、ヴェラとロンバードが殺されずに助かって結ばれるというハッピー・エンディングを付けている)。

登場人物たち各人の意識の断片をつぶさに検討してみることは、それなりに興味深いことではあるが、本稿の目的ではない。ここで注目したいのは、

① ウォーグレイヴ判事からブロア警部まで、八人の人物がそれぞれインディアン島におもむく1—1〜8 の導入部

② 四人が死んで、ウォーグレイヴ、ヴェラ、ロンバード、エミリー、アームストロング、ブロアの六人が残った時点で、その六人全員の心理が誰のものとも指定されずに列挙される11—6

③ そこからさらにエミリーが死んで、ウォーグレイヴ、ヴェラ、ロンバード、アームストロング、ブロアの五人が残った時点での全員の心理が、やはり誰のものとも指定されずに列挙される13—1

の三カ所である。とりわけ、②と③はこの小説の中でもひときわ目立つ書き方がしてあり、そこをまったく気にせずに読み飛ばしてしまうことはできない。

この三カ所を詳しく調べてみることでわたしが言いたい論点を、先に箇条書きにまとめておくと、次のようになる。

◎この箇所には、叙述トリックが仕掛けられている。言い換えれば、ある人物（＝犯人）の心理描写において、読者の誤読を誘うような書き方がしてある。
◎その誤読を正せば、犯人以外の登場人物たちの心理描写との比較から、いかにそれが書き分けられているかがわかる。
◎②および③では、その言葉遣いなどに注目すると、誰の心理描写かがすべて特定できる。
◎誰の心理描写か特定できた後で読み直せば、舞台裏で進行しているある計画の姿が見えてくる。
◎そこでも、犯人を推定することは可能である。つまり、小説全体は論理的に構築されている。

まず書き出しの第1章から。ここでは、八人が主にオーエン氏なる謎の人物からの手紙を受け取り、インディアン島へと旅立つ。しかし、登場人物たち全員を孤島に呼び寄せたのは犯人のしわざだから、もしこの八人の中に犯人がいるとすれば、その犯人の旅立ちを描いた節はいったいどうなっているのだろうかという疑問がわいて当然である。

インディアン島で待っている召使のロジャース夫妻は、この第1章には出てこないが、二人とも早い段階で殺されるので、犯人である可能性はきわめて薄く無視できる。われわれが知っているように、犯人はウォーグレイヴ判事だから、彼が出てくる1―1、すなわちまさしくこの小説の冒頭部分からして、クリスティはいきなり叙述トリックを使っていることになるのだ！　それは、1―1の次のくだりである。なお、叙述トリックは文章技巧に関わる微妙な問題だけに、後に述べるように翻訳で読むと落とし穴にはまる危険性があり、ここから先は原文とその試訳を並べて掲げる。テキストとして用いたのは、Fontana Books版のペーパーバックである。

From his pocket Mr. Justice Wargrave drew out a letter. The handwriting was practically illegible but words here and there stood out with unexpected clarity. ***Dearest Lawrence ... such years since I heard anything of you ... must come to Indian Island ... the most enchanting place ... so much to talk over ... old days ... communion with Nature ... bask in sunshine ... 12:40 from Paddington ... meet you at Oakbridge ...*** and his correspondent signed herself with a flourish his ***ever Constance Culmington.***

Mr. Justice Wargrave cast back in his mind to remember when exactly he had last seen Lady Constance Culmington. It must be seven—no, eight years ago. She had then been going to Italy to bask in the sun and be at one with Nature and the ***contadini***. Later, he had heard, she had proceeded to Syria where she proposed to bask in yet stronger sun and live at one with Nature and the Bedouin.

Constance Culmington, he reflected to himself, was exactly the sort of woman who

***would*** buy an island and surround herself with mystery! Nodding his head in gentle approval of his logic, Mr. Justice Wargrave allowed his head to nod....

He slept....

ウォーグレイヴ判事はポケットから一通の手紙を取り出した。ほとんど判読できない筆蹟だったが、ところどころに、思いがけないほどはっきりわかる文句があった。親愛なるローレンス様……長いあいだ御無沙汰して……ぜひインディアン島へお越しいただきたく……魅惑の島……つもる話が……懐かしい日々を……自然との交わり……日光を浴び……パディントン発十二時四十分……オークブリッジ駅でお待ちして……。そして差出人は、〝あなたのコンスタンス・カルミントン〟と美しい筆蹟で署名していた。

レディ・コンスタンス・カルミントンに最後に会ったのはいったいいつのことだったか、とウォーグレイヴ判事は回想した。きっと七年――いや、八年前だ。当時彼女は、日光を浴び、自然や農民と交わるために、イタリアへ旅行しようとしているところだった。その後、聞くところでは、さらに強い日光を浴び、自然や遊牧民と交わるために、シリアまで足をのばしたらしい。

コンスタンス・カルミントンは、いかにも島を買い取って、謎に包まれるのを喜びそうな女だ。自分の論理に満足そうにうなずいて、ウォーグレイヴ判事はそのまま頭をうなだれた……。彼は眠りはじめた……。

一見するとこの文章は、他の七人がいかにインディアン島に集まることになったかを説明した1―2～8とまったく同じ調子のように思える。ここに何かくさいものを嗅ぎつける読者はおそらくいないだろう。読者はみな、コンスタンス・カルミントンからインディアン島への招待状がウォーグレイヴ判事にとどき、今世間の噂になっている島を買った謎の人物はなるほどコンスタンス・カルミントンだったのかと彼が納得した、と解釈して疑わない。ところが、その早合点こそがクリスティの思うつぼなのだ。

ウォーグレイヴ判事がコンスタンス・カルミントンからの偽の手紙を自ら用意した（あるいは、共謀者のモリスという男に用意させた）のは、4―1でこの手紙を証拠として全員の前に提出する必要があったからである。(1)

彼がこの手紙の差出人としてコンスタンス・カルミントンを選んだ理由は二つある。まず、八年前にイタリアへ旅行するところで、その後シリアまで行ったというのだから、現在の消息は不明であり、従って最近の彼女を知っている人物はおそらくいないこと。次に、その気まぐれな性格からして、「いかにも島を買い取って、謎に包まれるのを喜びそうな女だ」から、この手紙の差出人としてうってつけであること。ウォーグレイヴ判事が「自分の論理に満足そうにうなずい」たのは、実はそうした理由だったのである。

これと比べて、1―2～8の七人の心理描写は、彼らが本当にインディアン島への招待に応じて旅立ったことを保証する書き方がしてあるのだが、その検討は読者各自で行っていただきたい。

さて次は、②の11—6で六人の心理が列挙される箇所を分析してみる。この時点での生き残りは、ウォーグレイヴ判事、ヴェラ、ロンバード、エミリー、アームストロング医師、ブロア警部の六人。誰のものと明示されずに一段落の中で列挙されるこの心理描写を、それぞれA〜Fとして以下に掲げる。ただし、原文の英語では男女の区別がつかないので、試訳もそれをこころがけた。

A

"*What next? What next? Who? Which?*"

「次は？　次は？　誰が？　どの人間が？」

B

"*Would it work? I wonder. It's worth trying. If there's time. My God if there's time....*"

「うまくいくだろうか？　どうだろうか。やってみる価値はある。時間さえあれば。まったく、時間さえあれば……」

C

"*Religious mania, that's the ticket.... Looking at her, though, you can hardly believe it.... Suppose I'm wrong....*"

「狂信者だ、きっとそうにちがいない……。外見ではおよそ信じられないが……。もしまちがっていたら……」

D

"*It's crazy—everything's crazy. I'm going crazy. Wool disappearing—red silk curtains—it doesn't make sense. I can't get the hang of it. . . .*"

「狂っている——何もかも狂っている。気が狂いそうだ。毛糸が消えて——赤い絹のカーテンも——わけがわからない。さっぱりわからない……」

E

"*The damned fool, he believed every word I said to him. It was easy. . . I must be careful, though, very careful.*"

「ばかな男だ。こっちの言葉をすっかり鵜呑みにして。ころりとひっかかった……。しかし、充分警戒しなければいけない」

F

"*Six of those little china figures . . . only six—how many will there be by tonight? . . .*"

「あの小さな陶器の人形が六つ……たった六つ——今夜にはいくつになるのか?……」

このA~Fが誰の心理かを特定するには、まずわかりやすいものから順に決めていけばいい。いちばん簡単なのは、CとDだろうか。Cは「狂信者」(Religious mania)という言葉が鍵で、この言葉はブロア警部がエミリーを指して何度も使ったものである[2]。Dでは、「毛糸が消えて」

(Wool disappearing) という箇所に注目。エミリーが編み物に使っていた毛糸の玉がなくなったという事実は、お茶の時間にエミリーの口からヴェラに対して告げられたものだが、[3] この発言はとりたてて注意を惹くほどのものではなかった。この毛糸がふたたび現れるのは、ウォーグレイヴ判事が殺されている（実は偽装）のが発見される13―3である。従って、この時点で毛糸のことを気にかけているのは、いかにも女性らしいこだわりで、それはエミリーしかありえない。

その次に推測しやすいのは、EとFである。Fは人形が一つずつ減っていくのを気にしているが、その発見役は最初ロジャースに与えられていた。[4] しかし途中から、その役まわりはヴェラが引き受けることになる。[5] そして童謡と殺人との並行関係に最初に気づいて、発作的に笑いだしたのも彼女である。[6] 従って、これはヴェラの心理だと決定できる。

Eで鍵になるのは、「充分警戒しなければいけない」(I must be careful, though, very careful) で、これはウォーグレイヴ判事の口癖である。[7] この事実に読者の注意を喚起するために、クリスティは次のような念押しをしている。ウォーグレイヴ判事が死を偽装していったん舞台から消えてから、アームストロング医師がこの言葉を機械的に繰り返し、「それは彼が言っていた言葉だ」とブロア警部から指摘を受けることになるのだ。[8]

それでは、Eがウォーグレイヴ判事だとするなら、彼が言う「ばかな男」とはいったい誰か？　それはアームストロング医師である。ウォーグレイヴ判事が誰かと二人きりで話し合っている場面は10―3だけであり、その相手はアームストロング医師だからだ。しかもウォーグレイヴ判事は、初めてアームストロング医師と会ったときに、「医者はどいつもこいつもみんなばかだ」と内心で思っていたという描写がある(9)。

ここで明らかになるのは、ウォーグレイヴ判事がアームストロング医師に嘘をつき、二人で何かの計画を舞台裏でひそかに進行させているという可能性である（それは次の③の分析とも連動する）。その観点に立てば、何か計画を腹案中で、それがうまくいくかどうかを心配しているBは、アームストロング医師ということになる。

以上、得られた結論をまとめると、**A＝ロンバード、B＝アームストロング、C＝ブロア、D＝エミリー、E＝ウォーグレイヴ、F＝ヴェラ**。

これと同じようにして、③の13―1を分析してみよう。この時点での生き残りは、先の六人からエミリーを除いた五人、心理描写にG～Kと記号をふっておく。

G

"It's Armstrong... I saw him looking at me sideways just then... his eyes are mad... quite mad... Perhaps he isn't a doctor at all... That's it, of course! ... He's lunatic, escaped from some doctor's house—pretending to be a doctor.... It's true ... shall I tell them? Shall I scream out? ... No, it won't do to put him on his guard... Besides, he can seem so sane.... What time is it? ... Only a quarter past three! ... Oh, God, I shall go mad myself.... ***Yes, it's Armstrong***.... He's watching me now...."

「アームストロングだ……ちょうどあのとき、彼は横目で私を見ていた……あの目つきは狂っている……完全に狂っている……。医者ではないのかもしれない……そうとも、決まっている！……どこかの医院から逃げてきた狂人で――医者のふりをしているのだ。きっとそうだ……みんなに話そうか？……大声を出して？……いや、警戒させるのはまずい……。それに、彼は正気のように見えるだろうし……。何時だろう？……まだ三時十五分だなんて！……ああ、私も気が狂いそうだ……。そうだ、アームストロングだ……。彼は今、私の方を見ている……」

H

"They won't get ***me***! I can take care of myself.... I've been in tight places before...Where the hell is that revolver? ...Who took it? Who's got it? ... Nobody's got it—we know that. We were all searched... Nobody ***can*** have it... ***But someone knows where it is***...."

「おれはやられないぞ！ やられるはずはない……。何度も危い橋を渡ってきているんだ……。それにしても、ピストルはどこへいったんだろう？……誰が盗ったんだろう？……誰が持っているんだろう？ 誰も持っていない――それはわかっている。全員、身体検査を受けたから……。誰も持っているはずがない……。しかし、誰かがありかを知っているはずだ……」

I

"They're going mad … they'll all go mad.… Afraid of death … we're all afraid of death.… ***I'm*** afraid of death.… Yes, but that doesn't stop death coming.… ***'The hearse is at the door, sir.'*** Where did I read that? The girl … I'll watch the girl. Yes, I'll watch the girl.…"

「みんな気が狂いかけている……みんなそのうちきっと気が狂う……。死ぬのが怖くて……われわれはみな、死ぬのが怖い……。私だって怖い……。そうとも、だからといって死を免れることはできない……。〈霊柩車が戸口に来ております〉。どこで読んだんだろう。あの女……あの女を見張っていよう。そうだ、あの女を見張るんだ……」

J

"Twenty to four … only twenty to four … perhaps the clock has stopped.… I don't understand—no, I don't understand.… This sort of thing can't happen … ***it is happening***.… Why don't we wake up? Wake up—Judgment Day—no, not that! If I could only think.… My head—something's happening in my head—it's going to burst—it's going to split … This sort of thing can't happen … what's the time? Oh, God! It's only a quarter to four."

「四時二十分前……まだ、四時二十分前だ……時計が止まっているのかもしれない……。わけがわからない……まったくわからない。こんなことが起こるはずはないのに……現に起こっているなんて……どうして目がさめないのか？ 目ざめよ……最後の審判の日だ——いや、そんなばかな！　考えることさえできたら……。頭が――頭がおかしい――破裂しそうだ――割れそうだ……。こんなことが起こるはずはないのに……何時だろう？　ええっ、まだ四時十五分前か！」

K

"I must keep my head ... I must keep my head... If only I keep my head ... It's all perfectly clear—all worked out. But nobody must suspect. It may do the trick. It must! Which one? That's the question—which one? I think—Yes, I rather think—yes—***him***."

「正気でいるんだ……正気でいるんだ……。正気でいさえすれば……。すべては明白だ……すっかり読めている。しかし、誰にも疑われてはいけない。うまくいくかもしれない。うまくいってくれないと！　誰だろう？　それが問題だ――誰だろう？　きっと――そう、きっと――そうだ――あの男だ」

この中でいちばん明白なのはHで、「何度も危い橋を渡ってきている」(I've been in tight places before) はロンバードの口癖である[10]。

Jでは「最後の審判の日」(Judgment Day) が鍵になる。これは、ブロア警部が列車で乗り合わせた、船乗りらしい老人が予言した言葉である[11]。いかにもクリスティらしい、実に用意周到な伏線の張り方ではなかろうか。おそらくはこの言葉がブロア警部の心の奥深くにしまわれていて、それがこの瞬間になって意識に浮上してきたのである。
Gでアームストロング医師を疑っているのはヴェラである。彼女はロンバードに誰が怪しいかと訊ねられたとき、即座に「アームストロングよ」と答えたことがある。[12]
残ったIとKのうち、Kで相変わらず何かの計画がうまくいくかどうかを心配しているのは、②のBと同じで、実はウォーグレイヴ判事の死を偽装する計画を立てているアームストロング医師である。ここで彼が誰（男性）を犯人だと疑っているのかは、必ずしも考察しているテクストの範囲内では明らかではないが、犯人の手記を読めばそれがロンバードだったことが判明する。

結論をまとめると、**G＝ヴェラ、H＝ロンバード、I＝ウォーグレイヴ、J＝ブロア、K＝アームストロング**。

こうして誰の心理かが特定し終わった時点で、ひとつだけ最後に残ったために特定ができたウォーグレイヴ判事の心理描写Iを眺めてみると、それが微妙な書き方をされていることに気がつく。公刊されている清水俊二氏による邦訳では、「あの女を見張っていよう」（I'll watch the girl）という部分が「怪しいのはあの娘だ」となっているが、これは叙述トリックにひっかかった誤訳であり、全体の読みに関わる重大な問題をはらんでいる。なぜなら、それだとウォーグレイヴ判事がヴェラを犯人だと疑っていることになるからである。実際には、彼はヴェラのタフさを充分に見抜いていて、最後には彼女が残ることをすでにこの時点で予測しているのだ。要するに、訳者はそのところを読めていない。その翻訳を通じてしか『そして誰もいなくなった』を読んだことのない一般読者には、もちろんそれがわかるはずがない。これだと全体の辻褄が合わなくなることに、どうして誰も気がつかなかったのだろうか。わたしが本稿を書く気になった本当の理由は、実はそこにある。

もう一点、叙述トリックとして大切なところを押さえておこう。心理描写Iで、「われわれはみな、死ぬのが怖い……。私だって怖い……」という箇所を、読者はこの人物が殺人鬼に殺されるのを怖がっているのだとうっかり読んでしまう。だからIがウォーグレイヴ判事だと正しく見破ったとしても、彼が犯人だとはすぐにわからない仕掛けになっているわけだ。そういう誤読を回避して正しく読み直せば、彼は不治の病を宣告されており、その意味で死を免れることはできないが、それでもやはり死ぬのは怖いと言っているのである。

犯人は誰かを疑ってみたり、消えたピストルの行方を考えてみたり、現実に起こっていることが信じられないというG、H、J、Kのそれぞれは、こうした心理の持主が犯人ではないことを間接的に証明している。それに対して、Iはそうした証明にはならない。こうした巧妙な書き分けが、『そして誰もいなくなった』を支える叙述トリックなのだ。

登場人物たち十人が集合する、孤島の館。いかにもゴシック小説風の趣向にうってつけの設定に見えるが、クリスティはこの館をゴシック屋敷にしなかった。ここには、推理小説によく見られるような、部屋の詳細な見取図などは付けられていない。そういう趣向はクリスティの関心外にある。この館は、どこまでも明るく影のない、「何も隠されていない」館である。そしてそれは、単に建築上の話にとどまらず、この小説世界の完璧な隠喩になっている。十人の心理がすべて明らかにされ、そのどこにも犯人の隠れている気配がないのに、そのどこかに犯人がいるという恐ろしさ。その意味では、登場人物たちの感じる恐怖よりも、読者の感じる恐怖の方が何倍も大きいかもしれない。『そして誰もいなくなった』は、そうした明るい恐怖の世界なのである。

再読のための注釈

（1）「では、調査の次の段階に移ろう。だが、その前に、わしの証拠品をリストに加えておきたい」彼はポケットから一通の手紙を取り出して、テーブルの上に投げた。（4－1）

（2）ブロアは続けた。「……私の意見を言わせてもらうと、あの女は完全にいかれているよ！　年配の独身女性は、よくそうなるものだ――大々的に人殺しをしたりとかいう意味じゃなくて、頭がおかしくなるということさ。かわいそうに、彼女もそうなったんだな。狂信者(religious mania)だ――自分を神の道具だとか思ってるらしい。部屋の中ではじっと聖書を読んでるんだ」（11－4）

（3）年配のエミリーが答えた。「……わたしが使っていた灰色の毛糸玉が二つなくなって、それがひどく気になるものだから」（10－5）

（4）階下の食堂で、ロジャースは茫然と立っていた。テーブルの中央にある陶器の人形を眺めていたのである。彼はこうつぶやいた。「こいつは妙だな！　たしか十個あったはずなのに」

（5―4）ロジャースはそばに近寄った。「……嘘だと思ったら自分で見てください。八個しかないんですよ！　たった八個しか！　わけがわかりませんよ。たった八個しかないなんて……」（6―4）

（5）ヴェラは自分でも驚くほど甲高い声をあげた。「あなたの言ってたことは本当ね、ロジャース。見てごらんなさい。七個に減っているわ……」（9―4）最初に気がついたのはヴェラだった。……彼女は叫んだ。「インディアンが！　ほら！」テーブルの中央には陶器の人形が六個しかなかった。（11―1）

（6）ヴェラは突然金切り声をたて、体をふるわせて笑い出した。「この島では蜂を飼ってるのかしら？　教えてちょうだい。どこに行ったら蜂蜜が見つかるの？　ハハハ！」（11―3）

（7）ウォーグレイヴ判事は口をひらいた。その低いがはっきりとした声には、決意のほどがみなぎっていた。「いや、警戒していれば大丈夫だ。われわれは充分警戒しなければ（We must be very careful）……」（13―1）

（8）アームストロングはつい機械的に「われわれは十分警戒しなければ――」と言ったところで口を閉じた。ブロアはうなずいた。「それは彼が言っていた言葉だ。……その本人が死んでしまったんだからな！」（14―1）

（9）ウォーグレイヴ判事はこう思った。アームストロング？　証人席で見た記憶がある。証言はきわめて正確で用心深かった。医者はどいつもこいつもみんなばかだ。ハーレー街の連中はその中でも最悪だ。（2―8）

（10）　フィリップ・ロンバードは不敵な顔つきになった。「ぼくには豊かな想像力があるからね。これまでに何度も危い橋を渡ってきているんだ！（I've been in tight places before now and got out of them!）……きっと――それ以上言うつもりはないが、きっとこの橋も渡ってみせるぞ」（11―4）

（11）　老人は言った。「気をつけて祈ることだな。最後の審判の日（the day of judgment）が近づいているぞ」……自分の席に戻るとブロア氏はこう思った。おれよりも爺さんの方こそ、最後の審判の日に近いくせに！（1―8）

（12）　ロンバードは言った。「君なら誰に投票するかい？」少しのためらいもなくヴェラは言った。「アームストロングよ」（10―1）

追記

　本稿発表後、探偵小説研究家の真田啓介（まだけいすけ）氏より次のような指摘をいただいた。すなわち、冒頭のウォーグレイヴ判事の旅立ちの描写（二八八ページ）で、"his correspondent signed herself"という箇所のherselfという言葉はアンフェアではないかというのである（つまり、それだとコンスタンス・カルミントンが実際に手紙を書いたように読めてしまうということだ）。こういう指摘は筆者にとっていちばん嬉しいものだった。真田氏に感謝したい。ただ、いささかクリスティのために弁護するなら、この文章の主語であるhis correspondentは必ずしもコンスタンス・カルミントンに限定されるわけでもなく、誰か手紙を書く女性を雇った可能性があることを付け加えておく。

ちなみに、本稿で取り上げている清水俊二訳が二〇〇三年にハヤカワの〈クリスティー文庫〉に収められたとき、問題の個所は「怪しいのはあの娘だ」ではなく「あの娘を見張っていよう」になっていたが、訳者の没後なので、何者かの手によって修正されたものだと思われる。

## 映像・音楽・舞台作品

## ら



## わ



## 叢書・雑誌、雑誌・新聞など

## や

## ま

## は

## な

## さ



## た

# 索　引

・人名・作品名を主として、本文中で言及のある箇所をまとめた。
・人名を姓→名の五十音順でならべたうえで、それぞれの人名に付属するかたちで著作をならべた。
・編者のいるアンソロジーについては、編者の著作の一部として（編）と付した。代表して著者がたたないシリーズ名及び原書の叢書・全集、新聞・雑誌、映像・音声・舞台作品は、末尾に五十音順でならべた。
・複数の邦題のある作品名、複数の日本語表記のある人名については、もっとも一般的と思われる表記で項を立てて、別表記の記載がされているページもまとめた。
・本文中に著者の名前が出てこない作品については、著者名に星印（＊）を付けた。

なお、約物については本文中とは異なる凡例に沿って、
『　』……単行本ならびに長編
「　」……中編・短編ならびに映像・音声・舞台作品
《　》……叢書・全集ならびに新聞・雑誌
とする。

## あ

本書は、二〇〇〇年に宝島社より刊行された『ミステリよりおもしろいベスト・ミステリ論18』を改題、増補のうえ文庫化した。

現在からすれば穏当を欠く語句・表現については、発表時の時代的背景と、一部文章においては著者が他界して久しく、古典として評価すべき文章であることを鑑みて、原文のまま掲載した。

検印
廃止

**編者紹介**　1958年福岡県生まれ。大阪大学人間科学部卒業。編集者、評論家、作家。著書・編書に〈短編ミステリの二百年〉(全6巻)、『本の窓から』、『土曜日の子ども』、『明智卿死体検分』等がある。

ミステリ＝22
推理小説ベスト・エッセイ

2024年6月28日　初版

著　者　北村(きたむら)　薫(かおる)、坂口安吾(さかぐちあんご)ほか

編　者　小(こ)　森(もり)　収(おさむ)

発行所　(株)　東京創元社
代表者　渋谷健太郎

162-0814/東京都新宿区新小川町1-5
電　話　03・3268・8231-営業部
　　　　03・3268・8204-編集部
URL　http://www.tsogen.co.jp
暁印刷・本間製本



ISBN978-4-488-40063-7　C0195

黒岩涙香から横溝正史まで、戦前派作家による探偵小説の精粋！

# 日本探偵小説全集

全12巻

監修＝中島河太郎

## 刊行に際して

現代ミステリ出版の盛況は、まことに目ざましい。創作はもとより、海外作品の夥しい生産と紹介は、店頭にあってどれを手に取るか、戸惑い、躊躇すら覚える。

しかし、この盛況の蔭に、明治以来の探偵小説の伸展が果たした役割を忘れてはなるまい。これら先駆者、先人たちは、浪漫伝奇の炬火を掲げ、論理分析の妙味を会得して、従来の日本文学に欠如していた領域を開拓した。その足跡はきわめて大きい。

いま新たに戦前派作家による探偵小説の精粋を集めて、新しい世代に贈ろうとする。

少年の日に乱歩の紡ぎ出す妖しい夢に陶酔しなかったものはないだろうし、ひと度夢野や小栗を垣間見たら、狂気と絢爛におののかないものはないだろう。やがて十蘭の巧緻に魅せられ、正史の耽美推理に眩惑されて、探偵小説の鬼にとり憑かれた思い出が濃い。

いまあらためて探偵小説の原点に戻って、新文学を生んだ浪漫世界に、こころゆくまで遊んで欲しいと念願している。

中島河太郎

1 黒岩涙香 小酒井不木 甲賀三郎集
2 江戸川乱歩集
3 大下宇陀児 角田喜久雄集
4 夢野久作集
5 浜尾四郎集
6 小栗虫太郎集
7 木々高太郎集
8 久生十蘭集
9 横溝正史集
10 坂口安吾集
11 名作集1
12 名作集2 付 日本探偵小説史